Oscar bestsellers

ANDREA CAMILLERI

IL COLORE DEL SOLE

OSCAR MONDADORI

© 2007 Arnoldo Mondadori Editore S.p.A., Milano

I edizione Scrittori italiani e stranieri gennaio 2007
I edizione Oscar bestsellers gennaio 2009

ISBN 978-88-04-58318-9

Questo volume è stato stampato
presso Mondadori Printing S.p.A.
Stabilimento NSM - Cles (TN)
Stampato in Italia. Printed in Italy

Anno 2010 - Ristampa   2 3 4 5 6 7

www.librimondadori.it

Il colore del sole

per Angelo Canevari

Che cosa mi capitò

Nella tarda primavera del 2004 mi recai da Roma a Siracusa per assistere alla rappresentazione di una tragedia classica che assai mi interessava per la novità e l'originalità della messinscena e che aveva suscitato un certo clamore nella stampa. "Clamore" è forse una parola eccessiva dato lo scarso interesse che televisioni e gazzette dedicano oggi a tutto ciò che abbia a che fare con l'arte, ad ogni modo a quello spettacolo era stato dedicato un certo spazio. Bastevole a incuriosirmi.

Inoltre mancavo da Siracusa da quasi cinquanta anni e m'era venuta una certa nostalgia di rivedere quel teatro nel quale da giovane m'era capitato di lavorare proprio all'allestimento di una tragedia di Euripide. Infatti, come è noto, queste rappresentazioni si svolgono nello straordinario e magico Teatro Greco alla luce del giorno, dal pomeriggio al tramonto, e richiamano di solito gran folla di pubblico.

Ma c'era un'altra ragione che mi aveva spinto a partire per la Sicilia. Avevo bisogno, per un romanzo che stavo scrivendo, di sentirmi suonare nelle orecchie la particolare parlata dei catanesi e così avevo pensato di arrivare a Siracusa nel pomeriggio di sabato, assistere allo spettacolo domenicale, il lunedì mattina, molto presto, spostarmi a Catania per trascorrervi l'intera giornata e da lì ripartire per Roma con l'ultimo aereo della sera.

Appena entrato in albergo ebbi una sgradita sorpresa. Ad attendermi nella hall trovai un giornalista di una tv locale con relativa telecamera. Evidentemente era stato il portiere a dare la notizia del mio arrivo. Il giornalista mi intervistò sul nuovo romanzo e poi volle sapere se mi trattenevo anche il lunedì, perché in quel caso m'invitava all'inaugurazione di una nuova libreria. Risposi ringraziando, ma dissi che purtroppo sarei ripartito il lunedì mattina. Il giornalista gentilmente mi fece sapere che avrebbe mandato in onda il servizio quella sera stessa. Mi sentivo un pochino stanco e perciò preferii riposarmi fino a che si fece buio. Venuta l'ora di cena, andai a Ortigia dove sapevo esserci un buon ristorante che infatti non smentì la sua nomea, quindi mi sedetti in un caffè all'aperto e ordinai un gelato. Ogni tanto qualche passante, riconoscendomi, mi rivolgeva un cenno di saluto, due o tre anzi vennero a stringermi la mano.

L'indomani mattina verso le dieci mi telefonò una ragazza che non conoscevo: mi disse di avere saputo dalla televisione locale che mi trovavo in città, che era studentessa all'università di Catania e che stava finendo la sua tesi su un mio romanzo storico, Il re di Girgenti. Potevo essere così gentile da concederle un'intervista?

Non seppi dirle di no. Si dimostrò una ragazza gradevole e intelligente, ma mi intrattenne per oltre due ore. Ebbi appena il tempo di pranzare, riposarmi una mezzoretta e quindi dovetti avviarmi verso il teatro.

Tantissima era la gente che trovai già seduta in attesa dell'inizio dello spettacolo quando arrivai. Per fortuna avevo fatto comprare il biglietto d'ingresso alcuni giorni prima dal portiere dell'albergo presso il quale avrei abitato nei due giorni del mio soggiorno siracusano.

Quando a fatica raggiunsi il mio posto, segnato da un cuscino colorato sulla nuda pietra, m'accorsi che quello accanto, alla mia sinistra, era ancora vuoto. Me ne rallegrai intimamente perché, se non veniva occupato, avrei potuto guadagnare un poco di spazio e mettermi alquanto più comodo, dato che in realtà gli spettatori stavano pigiati l'uno contro l'altro, quasi a stretto contatto di gomiti.

La mia speranza di un minimo di libertà di movimento durò poco perché il posto, appena prima che lo spettacolo iniziasse, venne sgarbatamente occupato da un tale abbastanza in carne, un pochino apoplettico, sudaticcio e sbuffante, che, nel sedersi, mancò poco che posasse la sua natica destra sulla mia gamba sinistra. Io mi scostai come meglio potei e quello nemmeno si scusò. Per come si presentava – sdrucita camicia azzurra di jeans con un fazzolettone rosso attorno al collo, capelli crespi e arruffati, folti baffi non curati e una certa quasi ostentata volgarità nei gesti (mi bastò vedere e sentire come si soffiava il naso) – poco o nulla quell'uomo pareva avere a che fare con un evento culturale come la messinscena di una tragedia classica. Sembrava che avesse appena finito di scaricare casse di pesce al mercato e fosse corso in teatro senza aver avuto il tempo di cangiarsi l'abito da lavoro e di lavarsi.

Meno male che si stava all'aperto e di lì a poco un venticello sottile e benvenuto stornò l'odore di pesce in direzione opposta alla mia. Prima che la rappresentazione, assai meno esaltante di quanto pensassi, avesse termine, si alzò e se ne andò.

Io invece credo di essere stato l'ultimo spettatore ad abbandonare il teatro. Avevo memoria ancor viva del gioco delle rondini al tramonto quando, volando basse tra le costruzioni scenografiche di cartapesta, le rendevano misteriosamente vere, impregnate di vere grida di dolore, di vero sangue.

Per quell'ultima sera siracusana avevo un invito a cena in casa di amici che da tempo non vedevo. Fuori dal teatro restai per un momento indeciso se farmi una lunga passeggiata verso Ortigia e quindi andare direttamente a casa dei miei amici o passare prima dall'albergo. Decisi di tornare in albergo soprattutto per mutar d'abito, perché mi pareva che quello che indossavo puzzasse ancora di pesce.

Nel consegnarmi la chiave della mia camera, il portiere mi disse che qualcuno aveva telefonato pochi minuti prima per sapere se ero rientrato, ma non aveva voluto lasciare né il nome né un numero telefonico.

Non doveva trattarsi di una cosa importante, altrimenti l'anonimo mi avrebbe messo in condizione di richiamarlo. Salii in camera.

Grande fu la mia meraviglia quando, nel trasferire gli oggetti personali da un vestito all'altro, m'accorsi di avere dentro alla tasca sinistra della giacca indossata per andare al teatro un biglietto che non ricordavo d'averci messo.

Il biglietto, una mezza pagina malamente strappata da un quaderno a quadretti, era indirizzato "Allo scrittore Andrea Camilleri" e il testo, non firmato, consisteva in un verbo all'infinito, "telefonare", in un avverbio di tempo, "subito", e in un numero telefonico. Ma c'era un inquietante poscritto:

Chiamare da una cabina pubblica.

Non ebbi dubbio alcuno: quel biglietto mi era stato infilato in tasca dallo sgradevole individuo che stava seduto accanto a me e che assai probabilmente era stato mandato a teatro solo per quello scopo.

Ne ebbi immediata conferma dal portiere al quale telefonai: sì, la sera prima, mentre ero fuori a cena, una voce femminile aveva domandato qual era il mio *numero di posto in teatro. Aveva saputo del mio arrivo in città dalla televisione, spiegò, e voleva cercare di trovare un posto libero accanto al mio.*

Chiesi al portiere di chiamare l'ufficio informazioni e di farsi dare il nome e l'indirizzo di colui al quale il numero telefonico riportato sul misterioso biglietto era intestato. Poco dopo il portiere mi richiamò facendomi sapere che l'ufficio non era in grado di soddisfare la mia richiesta perché si trattava di un numero non in elenco, riservato.

Cominciai a fiutare aria di mistero. Oltretutto scrivo romanzi polizieschi e sono, per una certa deformazione professionale, portato a vedere possibili intrighi in ogni fatto che non sia subito chiaro, addirittura non illuminato in ogni angolo da una luce solare.

Mosso da questa curiosità repentinamente destata, finii di vestirmi in fretta, uscii dall'albergo e nella prima cabina che trovai col telefono funzionante composi il numero scritto sul biglietto. Il telefono squillò a lungo e stavo per riattaccare quando rispose una voce maschile molto educata, ma con un certo timbro autoritario:

«Pronto. Chi parla?»

Decisi di giocare a carte scoperte, tanto più che rischiavo di giungere tardi a casa dei miei amici.

«Senta, io sono...»

«Non faccia nomi. Parlo io. Lei è la persona che ha trovato un biglietto con questo numero?»

«Sì.»

«*Bene. Gliel'ho fatto pervenire io.*»

«*Allora vorrei sapere che...*»

L'uomo mi interruppe subito.

«*Lasci parlare me, per favore. Le sarebbe impossibile trattenersi a Siracusa fino a domani sera e ripartire dopodomani?*»

Sapeva che ero intenzionato a ripartire per Catania l'indomani mattina, del resto l'avevo detto al giornalista della tv. Confesso che, a quel punto, la curiosità mi stava divorando.

«*No, se si tratta di una cosa di cui vale la pena...*»

L'uomo fece una risatina.

«*Eccome, se ne vale la pena!*»

«*Potrebbe accennarmi...?*»

La voce diventò brusca:

«*Mi scusi, ma questa conversazione sta durando troppo a lungo. Vada pure a cena dai suoi amici.*»

Ma come diavolo faceva a sapere dell'invito dei miei amici? Certamente non l'avevo detto al giornalista televisivo!

«*Come restiamo d'accordo, signor...?*»

Non raccolse il mio invito a svelare il suo nome.

«*Domattina alle nove ci sarà una macchina ad attenderla nel posteggio dell'albergo. Aspetterà mezzora. Non un minuto di più. Se lei non si farà vivo, non insisterò ulteriormente. E lei, comunque, non chiami mai più a questo numero.*»

Riattaccò senza salutare.

Quella sera non credo di essere stato molto brillan-

te coi miei amici. Mi distraevo continuamente, mi ri-
petevo, due o tre volte persi addirittura il filo del di-
scorso. Per quanti sforzi facessi, non riuscivo a pensare ad altro che al misterioso appuntamento del
giorno dopo.

Al momento degli addii, lessi sui volti dei miei
amici qualcosa che stava tra l'imbarazzo e la malinconia: di certo mi avevano trovato molto, e pericolosa-
mente, invecchiato.

Prima di andare a letto presi una doppia razione di
sonnifero, altrimenti, ne ero certo, non avrei chiuso
occhio.

Alle nove, appena sceso, il portiere m'avvertì che
una macchina m'aspettava al parcheggio, una BMW
nera.

Uscii. Era una splendida mattina di maggio, dai
colori tersi.

Ebbi subito una sorpresa non tanto piacevole. L'uomo che m'aspettava tenendo aperta la portiera posteriore della macchina era lo stesso individuo che mi ero
trovato accanto in teatro, quello che mi aveva infilato
il biglietto in tasca. Notai che stavolta indossava una
giacca, sperai non puzzasse di pesce.

Appena mi vide estrasse un cellulare, parlò brevis-
simamente, se lo rimise in tasca.

«Buongiorno» mi salutò, guardandomi come se
non mi avesse mai incontrato prima. E mi porse un
biglietto che lessi mentre la macchina si metteva in
moto.

Gentile professor Camilleri,
le sono grato per avere accettato il mio invito.
Mi scuso se dovrà sottostare ad alcune limitazioni indispensabili. Le spiegherò tutto.
A presto.

Stavo per infilarlo in tasca, quando l'autista disse:
«Me lo dia.»
«Cosa?»
«Il biglietto.»
Glielo restituii. Guidando coi gomiti, fece a pezzi il biglietto e li buttò fuori dal finestrino. Poi non aprì più bocca. Quando fummo fuori da Siracusa, mi decisi a domandare:
«Può dirmi dove stiamo andando?»
Non disse parola. Aveva fatto finta di non sentirmi? Allora, irritato e per metterlo in condizioni di dovermi rispondere, lo toccai leggermente sopra la spalla.
«Eh?»
Ripetei la domanda.
Anche stavolta non rispose, ma, preso il cellulare dalla tasca e tenendolo in modo che io non potessi vedere, compose un numero senza guardare la tastiera e parlò a voce così bassa che a me arrivò solo un indistinto mormorio. Evidentemente stava domandando se l'autorizzavano a dirmi dove eravamo diretti.
«Dalle parti di Bronte» rispose finalmente.
Capii che sarebbe stato inutile fare altre domande. E decisi di godermi il viaggio. Che non sarebbe stato

brevissimo, se da Siracusa dovevamo arrivare alle pendici dell'Etna.

Di Bronte, dove non ero mai stato, sapevo pochissime cose, quella per me più importante era che vi si producevano pistacchi dei quali ero, e sono, ghiottissimo. Le altre erano che un re Borbone l'aveva fatta diventare ducato e regalata all'ammiraglio Nelson e che Nino Bixio vi aveva operato, nel 1860, una feroce repressione contro i contadini che avevano creduto che l'arrivo di Garibaldi significasse la fine dei diritti dei proprietari terrieri. Avevo anche letto una novella di Verga su questa rivolta contadina, e mi ricordavo vagamente di aver visto un film in proposito.

Il viaggio fu più lungo di quanto avessi previsto perché l'autista si ostinava a prendere stradette secondarie e spesso malmesse sulle quali doveva procedere molto piano. Ma io non m'azzardai a chiedergliene la ragione.

Il paesaggio, per mia fortuna, era assai gradevole. Una terra ricca d'acque e perciò quasi vergognosamente fertile, senza quelle vaste distese di arido giallo che s'incontrano nell'agrigentino dove sono nato e dove ho trascorso la prima giovinezza.

Bronte non la vidi. Vidi un cartello dove c'era scritto che mancavano due chilometri per arrivarci. Ma pochi metri dopo il cartello l'autista bloccò l'auto, scese, aprì lo sportello posteriore e si sedette accanto a me. Lo guardai meravigliato.

«Che c'è?»

«Le devo mettere questo.»

Tirò fuori da una tasca un grande fazzoletto che si fece subito riconoscere dall'odore penetrante di pesce: era quello che portava annodato al collo il giorno prima.

«Ma è proprio necessario?»

«Così m'hanno detto di fare e così faccio.»

Nel movimento la giacca gli si aprì e io intravidi il calcio di una pistola. C'era da aspettarselo. L'uomo mi bendò, legandomi sulla nuca il fazzoletto. Poi sentii che scendeva.

«Dovrebbe stendersi sul sedile.»

Erano queste le "limitazioni indispensabili" accennate nel biglietto? D'altra parte avevo accettato il gioco, non potevo (e, lo confesso, nemmeno volevo) ribellarmi.

Obbedii. L'uomo tornò al posto di guida, ripartimmo.

Dopo un po' capii che l'autista faceva dei giri tortuosi apposta per confondermi, ora percorrevamo strade asfaltate ora traballavamo su trazzere per carretti. Andammo avanti così per quasi un'ora e poi finalmente ci fermammo.

«Può levarsi il fazzoletto e scendere.»

Mi trovavo nel baglio di un grande casale ben tenuto e circondato da alte mura di pietra.

«Ha un telefonino?» mi domandò l'autista.

«Sì.»

«Me lo dia.»

Glielo consegnai, l'intascò, montò in macchina, partì. Rimasi istupidito in mezzo al baglio. Tutte le finestre del casale erano chiuse, anche il portone. Sentii un brivido di freddo e mi rimisi in fretta la giacca che m'ero tolto in macchina. Quel posto doveva trovarsi a non meno di ottocento metri d'altezza.

Cominciai a rimpiangere d'avere così scioccamente accettato quell'invito. A un tratto mi venne un'idea che mi fece sudare malgrado il freschetto: e se si trattava di uno scherzo organizzato ai miei danni? Vuoi vedere – mi dissi – che in questo momento qualche telecamera nascosta sta documentando la tua solenne imbecillità?

Con un certo sollievo sentii avvicinarsi una macchina. Che entrò, sgommando, nel baglio. Ne scese, trafelato come se avesse fatto la strada a piedi, un signore quarantenne, molto elegante. Mi porse la mano che io automaticamente strinsi.

«Sono Gianni. Ho fatto tardi, mi scusi. Venga, venga.»

Non mi aveva detto il cognome. Ma la sua voce era diversa da quella che m'aveva risposto al telefono. Aprì il portone, ch'era chiuso a più mandate. Mi resi subito conto che il casale ingannava. Mi spiego meglio: l'esterno della costruzione era quello di un rustico a un piano, molto ben tenuto, come ho detto, ma l'interno era quello di una villa nobiliare. I pochi mobili settecenteschi del vasto ingresso, dal quale si partiva una scala in legno pregiato che portava al piano superiore, erano, per quanto poco io me ne intenda, di gran pregio.

Il sedicente Gianni aprì una porta, mi fece entrare in una biblioteca vasta e ordinata, m'invitò ad accomodarmi su una grande poltrona.

«Gradisce un caffè?»

«Ne ho proprio bisogno, grazie.»

Uscì. Mi alzai, andai a guardare i libri di uno dei quattro scaffali. Ebbi modo di notare che in basso, vicino alla scrivania, c'era una presa telefonica. Ma non si vedeva l'apparecchio. Forse l'avevano portato via nel timore che io facessi qualche telefonata.

Tutti i libri contenuti in quello scaffale riguardavano la storia e la cultura dell'isola, c'erano Vigo, Amari, Pitrè, Guastella, Salomone-Marino, la Storia di Fazello... La camera era riscaldata da un vecchio termosifone, di quelli di ghisa. Cominciai a sentirmi più a mio agio. Mi voltai perché qualcuno era entrato nello studio. Una vecchia contadina con un vassoio in mano. Lo posò sulla scrivania, uscì senza dire una parola. Mi affrettai a bere il caffè che era veramente buono.

Poi intesi il rumore di una macchina che entrava nel baglio. E dopo un po' sentii parlottare nell'ingresso. Mi sedetti di nuovo sulla poltrona. Un'auto venne messa in moto, partì. Entrò un signore cinquantenne, molto ben vestito, molto curato nella persona, che reggeva, come una valigia, una grossa cassa di legno con una impugnatura al centro del coperchio. Doveva essere leggera, ma scomoda a

21

portarsi. La posò per terra. Mi alzai, ci stringemmo la mano.

«Mi fa molto, molto piacere conoscerla. E le sono oltremodo grato di aver voluto venire qui. Mi chiamo Carlo.»

Fui sicuro che non si chiamava così, come l'altro non si chiamava Gianni. Ma questo era indubbiamente l'uomo col quale avevo parlato al telefono.

«Il mio amico, quello che l'ha accolta...»

Ebbe una leggera esitazione, forse non ricordava più il nome convenzionale del suo amico.

«... Gianni, ecco, è dovuto andarsene di fretta e si scusa di non averla salutata. È lui il proprietario di questa casa. Vogliamo andare?»

Lo seguii senza fare domande. Nell'ingresso, aprì un'altra porta. Una stanza da pranzo, il lungo tavolo apparecchiato solo per due persone. Posate d'argento, bicchieri di cristallo, tovaglia e tovaglioli ricamati a mano e con qualche minuscola macchia ingiallita che ne rivelava la venerabile età. Carlo mi servì un vinello bianco frizzante e subito dopo entrò la contadina servendoci il primo, un appetibile risotto.

Appena cominciammo a mangiare, Carlo tirò fuori da una tasca il mio cellulare e me lo restituì.

«Però deve darmi la sua parola d'onore che non farà nessuna telefonata per tutto il tempo che resterà qui.»

«Va bene, le do la mia parola. Ma lei dovrebbe almeno spiegarmi il perché di tutte queste precauzioni che mi sembrano, mi scusi, abbastanza ridicole.»

«Dovrebbe ormai aver capito che queste precauzioni le sto prendendo esclusivamente nel suo interesse.»

«Nel mio interesse?!»

«Sì, per evitarle future noie. Non sarebbe piacevole per lei se il suo nome venisse in qualche modo associato al mio.»

«Non capisco.»

«Riesce a capire meglio se le dico che da più di un mese risulto, come dire, irreperibile?»

Capii. Un latitante!

Il risotto che avevo appena finito di mangiare fece massa nel mio stomaco. La contadina entrò, sparecchiò, tornò poco dopo con il secondo: coniglio alla cacciatora.

«È di suo gusto? Perché altrimenti...»

«No, grazie, va benissimo.»

Dopo un poco Carlo riprese a parlare.

«Una certa indagine, che teoricamente non m'avrebbe nemmeno dovuto sfiorare, m'ha coinvolto in pieno. Quindi i miei telefoni sono sotto controllo, la mia casa e il mio ufficio sorvegliati, la corrispondenza intercettata. Inoltre, sono certo che appena metto un piede fuori dalla Sicilia mi arrestano. Qui, ancora, riesco a non farmi trovare. Ecco perché ho dovuto rinunziare a venire di persona da lei a Roma, come avrei voluto, e ho dovuto approfittare della sua breve permanenza tra di noi.»

Lo guardai stupito.

«Lei voleva venire a Roma per incontrarmi?»

«Sì. Per farle leggere una cosa.»

Mi sentii un po' deluso. Era sicuramente uno di quei miei lettori che mi scrivono racconti della loro vita esortandomi a trarne un romanzo. In genere sono storie banali, tradimenti coniugali, testamenti distrutti, false testimonianze, imbrogli subiti. Forse la storia che Carlo voleva venirmi a raccontare sarebbe stata un pochino più interessante delle solite, ma nulla di più. Ma, a un tratto, sudai freddo. La cassa che si era portato appresso conteneva quello che aveva intenzione di farmi leggere? Nel qual caso la mia permanenza nel casolare sarebbe durata di necessità qualche mesetto. Una specie di sequestro a scopo non di lucro ma di lettura.

«Si tratta di una promessa che ho fatto a mia moglie» proseguì Carlo. «Mia moglie è morta tre mesi fa. Era da sempre una sua appassionata lettrice. Ha sofferto molto negli ultimi tempi. Ma la lettura dei suoi romanzi riusciva a distrarla, perfino a farla sorridere. Non so se lei potrà mai capire, mi scusi, quanto gliene era grata.»

Provai una leggera punta d'orgoglio: i miei libri dunque non erano poi così inutili, come sosteneva buona parte della critica, se a qualcosa erano serviti. Effetto placebo, certo, ma sempre effetto.

«Prima di morire» continuò Carlo «si fece promettere che avrei ricambiato l'aiuto che lei le aveva dato. Le domandai come. E lei mi disse quello che dovevo fare.»

«*Cioè?*»

«*Lo vedrà.*»

Finimmo di mangiare, prendemmo il caffè, tornammo nello studio. Carlo liberò accuratamente la scrivania da ogni cosa e mi fece cenno di sedermi sulla sedia dall'alto schienale che c'era dietro. Poi aprì la cassa che entrando aveva lasciato in un angolo, estrasse una valigetta di plastica e due grossi contenitori rettangolari anch'essi di plastica, li posò davanti a me senza aprirli.

«*Prima le devo dare qualche spiegazione. Lei conosce Caravaggio?*»

La domanda arrivò così inaspettata che mi provocò un momento di totale imbecillità.

«*Il paese o il pittore?*» *domandai.*

«*Il pittore, naturalmente.*»

«*Be', ho visto qualche suo quadro... poi ho sfogliato qualche libro di riproduzioni...*»

Poca roba, a conti fatti. Me ne vergognai un pochino. Ah, sì, in gioventù avevo visto un mediocre film su di lui, protagonista, mi pareva di ricordare, Amedeo Nazzari.

«*Sa niente della sua vita?*»

«*Quello che sanno tutti. Il pittore maledetto, l'omicida, la condanna a morte... Ho anche letto una biografia che...*»

M'interruppe.

«*Sa chi era Mario Minniti?*»

«*Sì, era nominato in quella biografia. Un pittore, grandissimo amico di Caravaggio.*»

«Bene. Mia moglie apparteneva alla famiglia Minniti, anche se non ne portava il cognome. Un giorno, che era già sposata con me, ricevette un'eredità. Una vecchia casa. Nel cui solaio fece un'incredibile scoperta. Mia moglie ha insegnato storia dell'arte. Capì subito d'avere trovato degli scritti autografi di Caravaggio. Assolutamente sconosciuti.»

Sobbalzai, emozionato. Ma subito dopo mi venne da dubitare.

Scritti di Caravaggio?! Se non ricordavo male, non se ne conoscevano che due o tre brevissimi, ricevute di pagamento o cose simili! Era chiaro che Carlo si stava prendendo gioco di me.

Ma a che scopo? A meno che non intendesse coinvolgermi in una specie di truffa, servendosi del mio nome per spacciare meglio quelle carte sicuramente false. Decisi di fargli capire che non sarebbe stato facile ingannarmi. Sfoderai un risolino ironico.

«Un trattato sulla pittura, immagino...»

Non capì o non volle rilevare. Anzi, fu come se avesse percepito i dubbi che mi erano venuti.

«Capisco come la cosa possa sembrare incredibile. Le dirò che mia moglie – si chiamava Elena – sottopose quelle carte a delle perizie segrete, tra l'altro costosissime, che ne confermarono l'autenticità. Elena, non ho mai capito perché, non ha mai voluto renderle pubbliche. In questa valigetta ci sono anche le perizie... Ma prima delle carte di Caravaggio vorrei farle vedere un'altra cosa.»

Aprì il primo contenitore, ne trasse uno strano aggeggio che mi mise davanti.

Molto vecchio, in parte tarlato, chiaramente costruito in modo artigianale, l'oggetto consisteva in una base di legno lunga una settantina di centimetri e larga quaranta, sulla quale, nella parte terminale in alto, poggiava un rettangolo anch'esso di legno. Nel lato anteriore di questo rettangolo, in basso al centro, c'era un buco con una lente. A pochi millimetri di distanza corrispondevano tre piccole tavole di legno a formare una sorta di scatola. La parete interna, quella di fronte alla lente, era coperta interamente da uno specchio troppo vecchio per poter ormai riflettere alcunché. Ma mi accorsi che nella parte superiore dello specchio c'era, arrotolata, una specie di tendina bianca.

«Riesce a capire di cosa si tratta?» mi domandò Carlo.

«Mi pare una piccola camera oscura.»

«Bravo. Solo che proiettava le figure non sullo specchio, ma sulla tela. Un modello. Costruito da Caravaggio con le sue mani. Almeno così sosteneva Elena.»

«Mi faccia capire. Caravaggio avrebbe fatto ricorso ad un aggeggio simile? Mi sta dicendo che lavorava a ricalco?»

«Elena sosteneva di sì. E siccome questa scoperta m'aveva, come dire, un pochino disilluso, mia moglie mi spiegò che questo non toglieva nulla alla grandezza del pittore. Il quale non era il solo a usare strumenti simili. Mi fece i nomi di Van Dyck, di Raffaello. Mi convinse. Non riuscì mai a convincermi però che questo modellino l'avesse costruito Caravaggio stesso.»

«Perché?»

«Vede, i due modelli, le mostrerò tra un attimo il secondo, furono ritrovati da Elena assieme ad alcuni disegni. Elena sperò tanto che ce ne fosse uno di Caravaggio e li fece vedere a due grandi esperti. Niente da fare, i disegni erano di Minniti. Allora io le prospettai l'ipotesi che anche i modellini, come i disegni, fossero del suo antenato Minniti. Ma lei rimase sempre della sua idea.»

Rimise il modello al suo posto e aprì il secondo contenitore. Lo guardai a lungo senza riuscire a raccapezzarmi.

L'oggetto era vecchio quanto il primo. In parte era costituito da un'altra camera oscura ma molto modificata, con delle grosse lenti e specchi su tre pareti, la centrale e le due laterali, mentre il piano base era più lungo di una decina di centimetri e aveva, al lato opposto della camera oscura, una paretina di legno, scorrevole avanti e indietro, con una lente centrale. Dai bordi di questa lente si partivano innumerevoli cordicelle di lunghezze e colori diversi.

«Cosa crede che sia?»

«È certamente un altro apparecchio ottico. Ma non riesco a capire a cosa possa servire.»

«Nemmeno mia moglie riuscì a capire, in un primo momento. Nelle carte di Caravaggio, a un certo pun-

to, il pittore accenna a uno strumento che chiama "reflessore". Forse questo che lei ha davanti ne è il modello. O forse si riferiva a quell'altro. Poi mia moglie
comprese, coll'aiuto di un'incisione di Dürer, che Caravaggio si era inventato un sistema tutto particolare
per correggere gli errori di prospettiva dovuti al fatto
che, lavorando sulle immagini riflesse, doveva procedere per spostamenti successivi delle lenti che all'epoca, oltretutto, invertivano le immagini. E questo spie-
gherebbe gli errori di prospettiva che molti studiosi
hanno riscontrato in opere famose come la Cena di
Emmaus, ad esempio.»

Non riuscii a trattenere un sorriso.

«Perché sorride?»

«Perché anche io ho sentito questa storia degli errori
nella Cena. La mano destra di Pietro che essendo più
arretrata dovrebbe essere più piccola di quella di Cristo, oppure un cesto e un piatto che sono orizzontali ri-
spetto allo sguardo dell'osservatore mentre il tavolo sul
quale poggiano è invece visto dall'alto... Certo, per un
geometra sono errori pacchiani. Ma a nessuno viene il
dubbio che siano errori voluti?»

Carlo, senza rispondermi, ripose nel suo contenitore anche il secondo aggeggio.

«Comunque» disse «la nostra discussione è inutile,
non essendo assolutamente possibile dimostrare che
questi modelli sono stati costruiti da Caravaggio.»

Pigliò uno dopo l'altro i due contenitori e li rimise
dentro la cassa. Tornò poi alla scrivania, aprì la vali-

getta di plastica, tirò fuori un pacco protetto da due lamine di compensato molto sottili.

Appena i fogli, finalmente liberati, mi furono davanti, provai un'emozione profondissima.

Perché la loro assoluta autenticità era proclamata, gridata dall'odore della carta e dell'inchiostro secolari, da certe increspature dei fogli oramai incise come leggere cicatrici, da certe macchie ora gialle ora tendenti al marrone che il tempo disegna sulla pelle dell'uomo e sulla carta che l'uomo adopera per testimoniare la propria esistenza. Certo, un bravo falsario sarebbe stato capace di riprodurre i segni esteriori del tempo trascorso, mai però l'autenticità di un lungo, lentissimo disfacimento.

«Queste sono le perizie» disse Carlo estraendo alcuni fascicoli dalla valigetta.

Lo guardai. Non sapevo che dire, aspettavo, impaziente, istruzioni.

«Lei può restare qui tranquillamente a leggersi tutto. Nessuno la disturberà. Se ha bisogno di qualcosa, si affacci all'ingresso e chiami Anna ad alta voce. Io ora devo andare via. Alle otto di stasera tornerà la persona che già l'ha accompagnata qui e la riporterà in macchina a Siracusa.»

«Posso... posso copiare qualche brano?»

Sorrise.

«L'avevo previsto. Nel cassetto di sinistra troverà della carta e delle biro.»

Mi porse la mano. Mi alzai, gliela strinsi.

«La ringrazio» mi disse «a nome di mia moglie. E anche a nome mio, per avermi distolto, per qualche ora, dai miei problemi.»

«Buona fortuna» mi venne di dirgli.

«Ne avrò bisogno» mi rispose.

Per ore rimasi seduto a leggere e a copiare, non ebbi nemmeno bisogno di andare in bagno o di chiamare la contadina per un caffè. Alle otto sentii una macchina entrare nel baglio.

A malincuore rimisi le carte in mezzo ai due fogli di compensato che le proteggevano e le andai a riporre nella cassa. La chiusi. L'autista entrò senza salutare e prendendo in mano la cassa mi domandò, sospettoso:

«C'è tutto?»

«Stia tranquillo, c'è tutto.»

Uscimmo, l'uomo aprì il bagagliaio, ci infilò la cassa, chiuse a chiave il portone.

«Guardi che in casa c'è...»

«Anna esce dalla porta posteriore.»

Potevo risparmiarmi la figura del cretino. Stavo per salire in macchina, ma l'autista mi fermò.

«Dobbiamo fare come quando siamo venuti» disse cavando dalla tasca il solito fetido fazzoletto.

Mi lasciai bendare. Prima di entrare, mi tolsi la giacca. Le due tasche erano talmente rigonfie dei fogli che avevo scritto che certamente m'avrebbero dato fastidio.

Per tutto il viaggio di ritorno non scambiammo una sola parola. Arrivai tardi in albergo, il ristorante era già chiuso, mi contentai di due panini. Salii in camera e mi misi alla finestra. Da oltre un mese avevo deciso di smettere di fumare, ma per precauzione mi portavo sempre dietro un pacchetto di sigarette. Lo recuperai, me ne accesi una, la spensi subito. Non so perché, la voglia di fumare se ne era andata così come era venuta. Rimasi un'oretta così. La notte pareva finta nella sua perfetta bellezza. A un tratto arrivò, leggero, l'odore dei gelsomini. Francamente mi parve troppo, e me ne andai a letto.

Credevo di non poter chiudere occhio per le emozioni della giornata, invece, appena steso, m'addormentai.

Alle nove suonò la sveglia, alle dieci arrivò il taxi per portarmi a Catania. Dopo una decina di minuti ch'eravamo in viaggio, cominciai a provare una certa insofferenza all'idea di restare ancora un giorno nell'isola. Avevo la curiosa sensazione di averci soggiornato non tre giorni, ma mesi, anni. Allora dissi all'autista di accompagnarmi all'aeroporto.

Avvertenza

Le pagine che seguono sono quelle che sono riuscito a trascrivere, alquanto frettolosamente dato il breve tempo concessomi, dai fogli originali. Voglio onestamente premettere che non solo posso avere commesso errori di trascrizione, ma che ho anche qua e là ritoccato la scrittura irta e spigolosa dell'italiano non certo colto del Caravaggio. Sono conscio che questi aggiustamenti fanno perdere forza e autenticità d'espressione alla scrittura originale, ma sono altrettanto convinto che il testo ne guadagni in comprensibilità.

Mi corre l'obbligo d'avvertire che quelle pagine, a mio parere, non costituivano un vero e proprio diario, non credo che Caravaggio fosse uomo da tener conto e memoria dei suoi giorni, ma che si trattava di fogli sparsi e alquanto disordinati, una sorta di brogliaccio d'appunti tenuti forse per trarne un memorandum da presentare a qualcuno nel sospirato ritorno, da uomo libero, a Roma.

I
Malta

I brani che seguono riguardano il periodo maltese del Caravaggio.

Da Napoli, su suggerimento del Balivo del Sovrano Ordine dei Cavalieri di Malta di quella città, Ippolito Malaspina, Caravaggio si recò sull'isola, per essere nominato, dopo un anno di convento come novizio, Cavaliere di Grazia (non Cavaliere di Giustizia, in quanto non era nato nobile). La nomina avrebbe comportato l'automatico annullamento della condanna a morte emessa contro di lui a Roma per l'omicidio, nel corso di una rissa per futili motivi di gioco, di tale Ranuccio Tomassoni. Il Balivo a Napoli, Malaspina, essendo molto amico del Gran Maestro dell'Ordine Alof de Wignacourt, aveva fornito a Caravaggio una lettera commendatizia e gli aveva assicurato che sull'isola avrebbe anche avuto modo di trovare dei lavori ben retribuiti.

A Napoli, Caravaggio s'imbarcò su una galera del principe Fabrizio Sforza Colonna. I Colonna erano stati, e continuavano a essere malgrado la cattiva fama del pittore, suoi aperti protettori.

Ma Caravaggio non era solo.

Il suo fraterno amico, complice e compagno di avventure Mario Minniti s'imbarcò con lui. A spingere Minniti ad andarsene da Napoli non era tanto il desiderio di non separarsi da Caravaggio, quanto il fatto che anch'egli si era venuto a trovare invischiato in un processo per bigamia del quale non si sa molto.

Si sa, invece, che pochi giorni dopo l'arrivo dei due amici a Malta, Minniti venne arrestato in seguito alla denunzia per bigamia arrivata da Napoli. Caravaggio, naturalmente, si premurò d'offrirsi come teste a discarico nel processo che fu celebrato il 26 luglio 1607. In questa occasione, Caravaggio dichiarò d'essere arrivato nell'isola quindici giorni prima, vale a dire tra il 10 e l'11 luglio.

Le pagine che trattano del soggiorno maltese del pittore, l'ho già detto, erano assai più numerose di quelle che sono riuscito a trascrivere. Mi sono trovato davanti alla necessità di operare una difficile scelta. Confesso che in quelle ore ho più volte maledetto la mia scarsa conoscenza della vita e delle opere di Caravaggio. Un sapere maggiore avrebbe potuto rendere meno arbitraria la mia scelta.

Mi pare opportuno perciò comunicare al lettore i criteri dai quali allora mi sono lasciato guidare.

Ho ritenuto di dover scartare tutte le notazioni che riguardavano la vita quotidiana del pittore in qualità di novizio dell'Ordine. Egli si era accuratamente ap-

puntato tutti gli obblighi ai quali doveva sottostare, forse per il timore di dimenticarne qualcuno.

Sono anche annotati i suoi frequenti incontri con Minniti.

C'è un frettoloso ma divertente accenno su un incontro amoroso con una donna che Minniti riuscì a combinargli. Incontro che, se scoperto, avrebbe potuto costargli assai caro, rendendo vano lo scopo per il quale egli si era recato a Malta. Tanto che Caravaggio non lo avrebbe ripetuto più.

Ho preferito dunque trascrivere le pagine più intime che, a mio parere, potevano costituire una novità assoluta per gli studiosi, come l'ossessione del sole nero. Inoltre, finora la ragione dell'imprigionamento del pittore a Malta è rimasta sempre abbastanza oscura. Così come inspiegabile è stata la sua evasione dal Forte di Sant'Angelo. Le pagine che ho apposta trascritte mi sembrano, al riguardo, estremamente chiarificatrici. Ma, su tutte, rivelatrice m'è parsa la pagina che narra la nascita della sua vocazione artistica.

... et allora che lo Gran Maestro Alof de Wigna-court vide lo San Gerolamo scrivente, a cui elli stesso avea graziosamente consentito a prestar lo suo volto, rimasesi alquanto a longo in pensieroso silenzio. Tal che io comenzava ad angustiarmi, quando guardommi e chiesemi perché attorno a lui e puranco di retro a lui ogni cosa giacesse o incognita nella fitta oscurità o solamente di poco visibile per troppa ombra. Io li resposi esser lui il solo che alla mia vista rilucesse e che, lui a parte, altro non riesciva a vedere che il nero della notte.

Lo Gran Maestro ebbe un breve sorriso, forse iscorgendo ne le parole mie un di lui elogio dettato da mia cortigianeria. Elli non potea capire che io lo vero dicea.

A Napoli da tempo la luce de lo jorno erami devenuta insopportabile, trovava requie solo in una camera acconciamente impedita alla luce o al calar della sera, quando finalmente potea caminar per istrada.

Un jorno vidi gran folla ragunata che volea entrar tutta dentro a un portone onde ne venivan risse e grida pel troppo affollarsi e spingersi l'uno con l'altro tanto che accorser doi guardie et io prontamente mi allontanai. Tornato la sera istessa da curiosità mosso, trovai minor folla e seppi che in quella casa vivea una bardassa nomata Celestina, la quale, dismesso lo mestiere suo, guadagnato avea nomea di gran maga. Ella era capace di far comparire nell'aere figure humane che però eran sanza carnal consistenza, in tutto simili a fantasime. Tali figure ella dicea esser le anime dei morti. Io già avea in Milano veduto egual cosa e sapea essere uno inganno de l'occhi che facean certi specchi concavi acconciamente disposti.

Messomi in fila, dopo una hora mi trovai davanti a la vecchia bardassa e allora dissile che parlar volea con lo mio padre morto ma sanza altrui presenze. C'erano meco ne la di lei camera altre cinque persone tutte femmine. Ella resposemi che lo piacere mio potea averlo pagando la somma di quanto averian dovuto darle ognuna de le cinque femmine presenti. Io consentii e appena che secolei solo rimasi dissile di mostrarmi li specchi concavi. Ella di subito assai rise e poscia domandommi se era io dell'arte sua. Resposile esser pittore. Andò a prendere del vino buono che insieme bevemmo. Dopo di quella volta, più fiate da Celestina mi recai perché tal femmina assai m'intrigava. Ella preparava puranco misture e pozioni atte a guarir mali diversi.

Una notte ebbi a parlarle di questo disturbo de la vista mia che la luce del sole mal sopportava. La notte appresso Ella diedemi un'ampollina con di dentro un liquido denso e assai scuro e dissemi che, spalmatami una goccia per occhio di tal liquido, averia potuto fissar diretto lo sole sanza riportarne danno alcuno a la vista.

Trascorso qualche tempo, dovendomi recare in una casa di campagna per iscorrervi lo jorno, mi spalmai su ogni occhio una goccia di quel liquido. E guardai lo sole. Quale fu il mio stupore ne lo scorgere che lo sole erasi fatto immantinente tutto nero come per ecclisse e che da esso nascea una luce nera che oscurava non per intero homini e cose, ma li lasciava visibili solo in parte, come tagliati da luce di lume o di candela... L'effetto durò fino al sopraggiungere de le ombre de la sera. Lo jorno appresso era scomparso.

Ma Celestina non aveami avvertito che la visione de lo sole nero poteasi ripresentare anche sanza dover rispalmar le gocce. Da quando trovomi a Malta il (*illeggibile*) ripresentasi di molto spesso...

... fra' Raffaele dissemi che la visione de lo sole nero è opra sommamente diabolica e ordinommi di frangere l'ampolla di Celestina non credendo che io non l'avea più meco avendola lasciata con altre robe a Napoli...

... Fattami ammonizione fra' Raffaele di condotta austera e di mostra di religioso fervore per non ismentire quanto andavasi adoperandosi per me lo Gran Maestro. Sovrattutto raccomandommi di tener da freno lo carattere mio che gran danno procurarmi potea.

Rivelommi che lo Gran Maestro, non ostante la regola che nega in assoluto l'ingresso ne l'Ordine di persona che d'omicidio siasi macchiata, ha rivolto una forte e divota supplica a lo Papa onde ottener facoltà di ornarmi de l'abito e de la croce di cavaliero magistrale in quanto "persona virtuosissima e di onoratissime qualità e costumi", non ostante l'aver commesso omicidio in rissa...

... et infra gli altri, lo Cavaliero François d'Hermet lo quale, dovendo ritornare per alquanto tempo in Francia, dissemi voler ch'io per lui facea una picciola pittura di canestro con frutta, pari a una da me fatta che elli veduto avea in Milano appo lo Cardinale Borromeo. Pittura che purtuttavia lo Cavaliero d'Hermet, et altri con lui, considerava e stimava opra d'inferior natura. Se tal la stimava, perché la volea? Vennemi così da domandargli ma mi tenni, pensando a le raccomandazioni fattemi da fra' Raffaele, essendo tale domanda foriera di mala riuscita.

Raccomandommi però lo Cavaliero che volea la frutta paresse come ancora in sopra a lo ramo, non tocca da segno alcuno di sfacimento, e similmente le foglie. Risposegli allora tal cosa essere impossibile, imperocché mentre stassene in sopra a lo ramo mostra già lo frutto visibil segno de lo suo prossimo sfarsi e a maggior forza adunque non è da dipignerlo tale se trovasi da lo ramo ispiccato e addirittura incanestrato. Lo Cavaliero allora consentì ch'io dipignessi come al meglio credea.

Tanto, disse elli che è homo assai faceto, quella frutta non l'averia certo da mangiare...

... Lo Gran Maestro assai si compiacque de lo suo ritratto in armatura e col paggio che regge l'elmo.

Elli sorridendo domandommi per qual cagione in questo ritratto eravi minore oscurità che nel San Sebastiano.

Io resposegli che a traveder alquanta luce comenzava.

Elli certo capì lo reposto senso de la risposta mia ma non diede a vederlo. Allora domandò a lo paggio che era un nipote suo di Piccardia cosa provava nel vedersi raffigurato e lo paggio respose non provar niente. La risposta irritò lo Gran Maestro, io invece devertimmi assai perché anco io, nel dipigner quella dipintura, niente avea provato tranne che una picciola satisfazione per il gioco tra lo lucor de la corazza e l'ombra retrostante...

... Ho comenzato a lavorare a la Decollazione del Battista e la luce nera de lo sole nero non abbandonami più. Per me non havvi differenzia alcuna tra la notte e lo jorno...

... Fra' Raffaele, dopo avermi veduto in atto di dipignere lo muro del carzaro di fronte allo quale avviene la decollazione, chiesemi di parlarmi in cella. E quivi, sanza che io gli avessi ditto dello stato in cui trovavami, domandommi in primis se la decollazione che stavo dipignendo avveniva di jorno o di notte. Io assai restai colpito da le parole sue. Lo frate avea adunque ben indovinato lo stato mio. Celato lo stupore, resposigli che volea sapere la cagione della sua domanda. Allora elli gravemente dissemi che avea capito che la luce della decollazione era la luce del sole nero. Io prontamente negai. Ma elli ripetemmi che trattavasi di maleficio sopremamente diabolico. Dissemi anco che lo Creatore avea creato e governato tutta la materia per li suoi fini e li suoi propositi e che quindi la visione inversa de lo sole e de la luce sua significava obbedienza a la legge inversa, contraria a la divina, significava abbracciare per vero l'opposto suo, lo contrario de' propositi del Creatore Supremo. Se lo sole è vita, lo sole nero è morte, ancor disse. Consigliommi digiuno e preghiera. Ma io hora cognosco che tutta l'esistenzia mia, ancor prima assai che Celestina mi desse quel liquido, era comenzata e continuata sempre sotto lo segno de lo sole nero...

... Nel jorno de lo Signore 14 luglio de lo 1608, venuto lo Gran Maestro a veder lo stato della dipintura della Decollazione, mentre che io a lui devotamente m'inchinava, posemi una mano sopra la spalla e dissemi a mo' di saluto:

«Cavaliere...»

Mentre io quasi isveniva per lo stupore e la felicità elli rivelommi che già da qualche mese Paolo V Papa avea dato l'assenso a l'abito e a la croce in deroga a la regola che non può esser nomato cavaliero chi d'omicidio erasi macchiato, e che elli, come Gran Maestro, avea dovuto aspettare lo jorno che io finiva l'anno di noviziato (che cadeva appunto in quello die) per darmene nuova.

E questo significava che appena avevo finito di dipignere la Decollazione potevo tornarmene a Roma libero e sanza tema d'arresto essendo così decaduta la condanna a morte...

... Hodie, a veder la scopritura della Decollazione con lo Gran Maestro sono convenuti li otto Cavalieri Capitolari, lo Collegial Maggiore, l'Inquisitore e fra' Raffaele.

Nel silenzio che subito fecesi alla caduta del panno, l'Inquisitore, lo solo che ne avea facoltà, parlò per lo primo. Elli disse che lo Battista morto pareagli più vivo de li vivi. A queste sue parole fra' Raffaele, di repente impallidito, guardommi con alquanta preoccupazione. Ma l'Inquisitore altro non aggiunse e uscissene. Lo Gran Maestro invece chinossi ver me e sussurrommi che mai avea veduto in una pittura una morte tanto veritiera. Allora io resposi che forse solo chi ha dato la morte sa dipigner la verità della morte.

In quel mentre fra' Raffaele che di molto erasi fermato a guardar da presso la Decollazione fece uno balzo indietro et assai pallido in volto domandommi se era pur vero quello che gli era parso di vedere e cioè che io aveva messo la firma mia a la pittura acciò adoperando lo sangue fuoriescito da lo Battista. Elli è stato l'unico a notar ciò. Dissegli aver veduto giusto.

Elli allora disse che l'aver tanto osato era somma blasfemia e che gran male ne averia avuto...

... dettomi che li doi fiamminghi, Vinck e Finson, che tengono in Napoli bottega, hanno messo a vendere doi quadri che io feci bellissimi, una

Madonna del Rosario che è un pezzo grande da 18 palmi e che vogliono almanco 400 ducati, l'altro è un quadro mezzano da camera da mezze figure et è un Oliferno con Giuditta che non dariano a manco di 300 ducati. Per lo Rosario, che io principiai al breve tempo che parvemi di stare in bonaccia appresso aver patito di mare furioso in animo e corpo, e ben vedea li colori, assai devertimmi ragunar pezzenti e mendichi di vesti lacere e di fetente lordura e tali dipignerli in atto di scomposta preghiera infra a li frati domenicani...

... Lo Gran Maestro, che homo di gran valore dimostrossi ne la battaglia di Lepanto, ancor praticava usanze che oramai pareano appartenere a tempi andati. Oltre a lo nepote suo egli tenea secolui altri tre paggi.

Un d'essi, a nome Aloysio, di soavi modi e di bellissimo aspetto, solea di frequente venire ne la cella mia. Assai costui simigliava a lo giovinetto che a modello ebbi per lo mio dipinto che fue detto dell'Amor vincitore. Aloysio di molto deverteasi di uno picciolo reflessore che io da me medesmo fatto avea et assai piaceagli lo vedersi reflesso in su la tela. Un jorno introdussesi ne la cella mia mentre che io era fora. Tornato, il trovai ignudo davanti al reflessore e volle che io lo ritraessi. Fattolo, misi la dipintura sotto a lo letto. Alquanti jorni appresso, nel mentre che meco stava, narrommi di uno sgarbo fattogli patire da lo paggio nepote e misesi dirottamente a piagnere. Io l'abbracciai volendol racconsolare et elli allora teneramente baciommi. In quell'atto la porta non ben chiusa spalancossi sotto l'impeto di un Cavaliero di Giustizia del quale il nome non dico. Tutti sapean che elli erasi invaghito di Aloysio e, noi vedendo abbracciati, fu colto da furia cieca. Gridando ingiurie ver me, diede un fortissimo calcio a lo letto che spostossi iscoprendo lo ritratto d'Aloysio ignudo. Allora, snudata la spada, puntommela al petto. Ma io, in un battibaleno scostato Aloysio che stavasi in su le ginocchia mie, balzato in piedi da la seggiola, facilmente di lui ebbi ragione e fora de la cella lo cacciai pungendogli lo posteriore con la sua arma istessa mentre Aloysio rotolavasi a terra per lo gran ridere.

Qualche jorno appresso il miserabile Cavaliero di Giustizia disse a fra' Raffaele d'aver saputo da Aloysio che per dipignere lo teschio de lo San Gerolamo scrivente io averia mescolato a li colori anco un poco de lo mio seme naturale, dopo avere evocato lo dimonio. Tale ridicol accusa bastò a farmi rinchiudere ne lo Forte di Sant'Angelo. In vano supplicai d'esser ascoltato da lo Gran Maestro per difendermi ispiegando la verità...

... Doi mesi ne lo Forte di Sant'Angelo.

La prima volta che insognommi la rosa bianca in prima non seppi indove essa trovavasi, parvemi come stante a mezzaria sanza che alcunché a mezzaria la tenesse.

La volta seconda che la sognai, parea poggiar la rosa in sopra un pezzo di carne rossa, quasi membro d'homo eretto.

La terza volta che tornommi in sonno cognobbi essere la rosa che io dipinta avea all'orecchio di Ramorino in un dipinto per vendere, giovin di piacere che una rosa usava alcune volte tenere infilzata nel de retro come a farli grazioso omaggio.

Svegliatomi, a longo patito ho lo morso de la carne che mai m'abbandona...

... tutti giovani di piacere e bardasse e di poi anco
Ramorino
Bacchino
Filippello
Gelmino
Il giovine liutaio che non rammento il nome
Orsetto
Biondino
Luchino flautista
Geppino
Rossetto

Et infra le femmine
Nina Nina Nina Nina Nina
Lena
Anna la senese
Fillide
Zena
Marzia
Colombella
Foschetta
Zippina
Marolda
Flavia
Lucrezia
Tonia...

... A lo Forte di Sant'Angelo da mane a sera istommi a isguardare da la finestra lo mare e paremi che a cagione de la forzata inusanza de lo corpo la mente per converso si affolla di istorie de la vita mea...

... Infino agli anni dodici che passai a Caravaggio, poscia che la peste fececi scappare da Milano, io stetti nel lavoro de' campi, dopoché tornar volli a Milano che manco avea anni tredici...

... Fue ne la chiesa de lo San Francesco Grande, ove ero ito a sentir messa, che vidi cosa mai veduta. Era la dipintura di Leonardo che noma-

si La Vergine delle rocce. Nel mentre che isguardava all'orecchio non giunsemi più la voce de
l'officiante né suono alcuno, cominciommi lo
capo a dolere e in tutto lo corpo assalimmi un
calor forte di febbre. Finita la messa e fora de la
chiesa uscito, mosso appena qualche passo fue
giocoforza tornar dentro a rimirare la dipintura
che mai mi istancava. La notte ebbi ancora calu-
ra assai e davo in ismanie e un romor come di
mare mosso mi percuoteva la testa, talché al-
zatomi che era l'alba, nuovamente a San Francesco Grande recatomi, trovai ancor chiusa la
chiesa e tal furore presemi che con calci e pugni
la porta ripetutamente percuotei...

... fino a che potei finalmente andare a bottega
da Simone Peterzano bergamasco, che fue del
Tiziano alunno, nello mese di aprile. Per anni
quattro io a bottega stare doveria, anco mangiare e dormire dallo Peterzano, per acquistar prat-
tica di pittura. Peterzano chiesemi 20 scudi d'oro
al mese. Doi compaesani che comercio facean di
pellami fueron mallevadori...

... a Brescia Savoldo, a Bergamo Lotto, a Cre-
mona i Campi, ma pur sempre ciascheduna volta che tornava, a San Francesco Grande correva
in ismanie...

... e pigliati li 393 imperiali che miei erano e non doveansi con nessuno spartire, me ne tornai in Milano. Qui conosciuto avea tale Antonina Dal Pozzo, da tutti nomata Nina, che a caro prezzo di sé mercato facea. Io era all'epoca di anni diciotto e di molto poco pratticante nell'esercizio de le femmine. Con Nina mercanteggiato lo prezzo di una notte intera e venuta l'hora et in sua casa resomi, ella non femmi trovare né vino né alcunché che allietar ci potea. Io allora diedile alquanta moneta per comprar cibo e vino di bono. Appena ella fue fora, io, salito in sul letto, nascosi 300 imperiali sopra a una trave de lo soffitto. Ella tornossene con vino, ricotta, frutta e pane. Ci giacemmo insino a jorno fatto. Indi, avendo ancora desiderio de le belle carni sue, lo prezzo mercanteggiai di quello istesso jorno e de la notte appresso. Altra moneta le diedi per comprare ancora vino e quel che più le aggradiva. Ma Nina, prima di andare, veder volle quanta moneta io avea per pagare l'affare suo. Alla vista de li 85 imperiali che io tenea nel casacco, rassicurossi. Allorché tornossene, dissemi aver chiamato appo lei doi amici che sarebbon venuti fatta sera per qualche hora di gioco. Io di ciò mi dolsi, ma ora mai era fatta. E per farmi passar l'humor nero, assai di sé ella fue prodiga. Vennero li doi amici et uno, nomato Filetto, era una bardassa, in mentre che l'altro, nomato Jacobo, era un golia di torva figura. Per un'hora parlammo et assaissimo bevemmo. Nina, alquanto ignuda, stavasi sopra le gambe mie. Et io redutto era in camicia e brachette. Fue allora che Filetto proposemi di prattichar secolui e con Nina sopra il medesmo letto. Jacobo averia invece sol isguardato che tal cosa era a lui assai piacevole. Io consentii e Nina giulivamente alzossi da le gambe mie. In quel mentre Filetto, datomi forte spinta con uno piede, cader fecemi con tutta la sedia. Capito l'inganno, mi levai e diedi mano al coltello, ma non potei ischivare il pugno di Jacobo in su lo volto. Nina intanto era corsa fora e gridava all'accorruomo. Allorché Jacobo s'apprestava a darmi un altro pugno, io, sopra di lui gettatomi, lo trafissi a una spalla. Fue allora che doi guardie di prontezza accorse arrestaronmi perché Nina, Jacobo e Filetto spergiurarono essere stato io ad assalirli farneticando per il troppo vino. Portaronmi in carcere in brachette e camicia nel mentre che Nina, Jacobo e Filetto spartivansi li 85 imperiali ch'io tenea nel casacco. A le guardie dissi essere il nome mio Lotto Lorenzo, che mai esse sentito aveano. Condannato ad anni tre, in carcere stetti sol mesi otto, fino a che mi intesi con uno capo de le guardie nomato Lomellino. Elli dissemi che Nina erasi disparuta e che ne la sua casa ora non abitava alcuno. Lomellino appresso seppe farmi uscire dal carcere sanza pena o periglio alcuno. Secolui recatomi la notte istessa nella casa di Nina

54

e forzatane la porta che non fue cosa faticosa, recuperai li 300 imperiali dei quali 200 a lui ne detti per lo patto fatto...

... di Lena. Ella era una giovin donna assai bella che vivea con la madre vedova che io conoscea et altre sorelle. Io la vedea passare a' ponti di luna dalle parti mie e molto la isguardava per la grazia de lo corpo tutto. Di lei era amoreggiato assai un notaro che nomavasi Mariano Pasqualone e in sposa la volea, ma la madre di Lena dissemi che non fidavasi di tal razza di notari pur essendo la famiglia di molto bisognevole. Lena anco lo notaro disdegnava, apparendole vecchio et alquanto trascurato nel personale tanto che a volte, per troppa vicinanza, ne sentia il lezzo. Io proposi allora che Lena facesse da mia modella e di buona grazia madre e figlia accettorno. Ma lo notaro assalì la madre, lamentandosi che ella avea detto no a la sua dimanda di matrimonio con la figlia et aveala invece concessa come concubina a uno homo scomunicato e maladetto. Non pago, lo notaro appresso denunciò Lena qual donna che stavasene in piedi a piazza Navona alla cerca d'homini e anco me quale periglioso delinquente. Pasqualone ottenne da lo tribunale lo divieto che io frequentassi Lena et ebbe la faccia tosta di venire appo me per darmene elli stesso notificazione. Allora io, pigliato mezzo cavalletto, in su la testa glielo menai. Elli, in sangue, corse fora a chiamar le guardie. In quel mentre Lena, tutta tremante, sprangata la porta, per la prima volta con molta passione secomé si giacque. Fue arrestato, ma lo Cardinale Borghese immantinenti fattosi avante...

... corse maligna voce essere lo volto de la Madonna di Loreto da me dipinta quello di una puttana, cioè di Lena. Lo volto è sì conforme a quello dolcissimo di Lena, ma ella non fue mai puttana, bensì femmina amorosa che io di molto amai e che fue lo notaro a dirla tale ne la sua denunzia...

... ferito alla gola et all'orecchio sinistro, riparai malconcio ne la casa di Andrea Ruffetti a piazza Colonna. Dissi essermi ferito da me medesmo con la mia istessa spada cascando in istrada. In verità erasi trattato di doi colpi di stocco che Tiberio Barrocco aveami tirato allorché ebbe saputo che io lo jorno avante avea abusato con la forza della di lui amante Angiola. Ma questo non era vero, Angiola avea praticato meco per lo piacere suo poscia però avea ditto che era stata forzata...

... Hodie fra' Raffaele è venuto a dirmi che elli crede all'accusa. Ma ha voluto anco assicurarmi che non farà parola, se interrogato, di quel che io li ho confessato sulla visione del sole nero. Pare che l'Inquisitore in persona abbia dichiarato la sua ferma volontà di far luce sull'accusa che mi è stata rivolta di avere praticato arti magiche. Ne discuterà, dissemi lo frate, con lo Gran Maestro subito passati gli annui festeggiamenti per rammemorare la battaglia di Lepanto...

... e quindi occorreva fuggire dal Forte lo prima possibile...

... Mario Minniti, conosciuta per caso da un marinaro la nuova de lo mio imprigionamento a Malta con sì grave accusa, assai preoccupossi e ottenuta udienza dall'almirante don Fabrizio Sforza e Colonna, che trovavasi in Siracusa con le sue galere per fare rotta verso Malta onde partecipare a lo torneo navale a memoria de la battaglia di Lepanto, secolui secretamente parlò e ne ottenne munifico aiuto. Recatosi sveltamente in Messina, Minniti per assai danaro arruolò a la sua causa tal Minicuzzo, nomato come lo più valente e forte fiocinatore di pescispada e tonni che mai avesse visto lo mare tra Scilla e Cariddi, e secolui tornossene in Siracusa dove s'imbarcarono su una galera de l'almirante. Arrivato in su l'isola, Minniti munissi di una veloce barca con quattro fortissimi rematori tunisini. Dopo incontrossi secretamente con lo capitano di una speronara che facea contrabbando di seta tra Malta e Girgenti. Fatto ciò, ottenne di potermi visitare al Forte. Elli allora spiegommi con mia sorpresa che tutto era pronto per la fuga che saria dovuta capitare lo jorno istesso de lo naval torneo allorché tutte le guardie del Forte averiano rivolto l'attenzione al detto torneo che sarebbesi svolto nelle acque di ponente tra Marsa Grande e Marsamuscetto. Elli dissemi che la barca sarebbe sopraggiunta da levante e che io, a li primi spari di cannone de la giostra, averia dovuto mettermi pronto alla finestra che non avea grate ma che affacciavasi a picco su uno strapiombo di una ventina di metri che terminava con una spaventosa barriera di scogli sempre battuta da onde forti. Avendoli io domandato come averia potuto raggiungere li scogli in basso se non precipitando dalla finestra istessa Minniti resposemi scherzevolmente che averia potuto, con mie arti magiche, farmi spuntare un paro d'ali, e altro non volle dire...

... Udite le prime cannonate che davan inizio a lo torneo io posemi come convenuto alla finestra. Del torneo io non potea niente vedere perché svolgevasi a ponente, mentre vedea benissimo a levante lo mare alquanto mosso ma libero da vele e barche. Doppo una hora che aspettava vidi, come per magia, correr sopra a

l'acque un caicco stretto e longo con quattro remadori et uno homo ritto a poppa. Lo caicco
dritto puntava verso i perigliosi scogli sotto a la
mia finestra con tale velocità che io pensai che
fatalmente sarebbe andato a ischiantarvisi contro. Mentre che lo caicco si avvicinava io comenzai a sentir le voci de' remadori che davan-
si a tempo l'unisono di voga ooooh ah ooooh
ah e vidi che l'homo a poppa liberavasi d'ogni
vestimento restando ignudo. Dopo prese da lo
fondo de lo caicco quella che parvemi una lunga barra di ferro e tennela stretta ne la mano
destra. Quando sembrommi oramai impossibile che i remadori evitar potean lo schianto contro li scogli, et io m'ero da la finestra sporto a
gridar loro di fermare la folle corsa, la barca su
se stessa immantinenti ruotò e puntò la prua al
largo sicché i remadori con tutta la forza loro
poteron mettersi a contrastare il fatale abbrivio.
Allora in quello preciso momento lo giovine
ignudo, che hora mi stava di faccia, piegossi
lentamente tutto a l'indietro come mai averia
pensato potea farlo corpo humano sanza perdere l'equilibrio et a l'indietro cadere, nel contem-
po alzando al cielo quella che m'era parsa barra
di ferro e che solo hora capii essere una fiocina.
Parvemi che lo corpo de lo giovine devenuto
fosse un arco teso a lo massimo per iscagliare lo
dardo, non più carne e sangue, ma micidiale ar-

ma di morte, e un attimo dopo, mentre emetteva un alto grido che perfino a me percosse le orecchie, scagliò la fiocina che puntò dritta e veloce come freccia verso la mia finestra. E la fiocina portavasi appresso una corda. Feci appena in tempo a iscansarmi che con grande clangore la fiocina cadde entro la stanza. Liberato lo capo della corda et assicuratolo a uno ferro de la finestra, buttai in mare la fiocina e, messomi ignudo, tenendo la croce di cavaliero infra i denti, longo la corda mi calai. Grande fue la fatica e più volte temetti di lassar la presa quando lo vento mi spingea con forza contro lo muro del Forte. A metà discesa avea le mani spellate e sanguinolenti, sanguinavanmi anco le spalle che talvolta, ruotando, con violenza sbattean contro le pietre murarie. Raggiunti li scogli sanza più forza, feci cenno al fiocinatore che avea seguito la mia discesa che io avea bisogno di riposarmi alquanto.

Mancavami anco l'animo di dovermi calare in mare da quelli scogli ove le onde frangeansi vigorosamente con gran romore. Allora Minicuzzo, che era lui lo fiocinatore, gettossi in mare e nuotando che parea esser creatura marina, arditamente raggiunti li scogli mi si fece allato e rincuorommi...

... L'istesso caicco portò Minicuzzo e me, quasi morto, infino alla speronara contrabbandiera dove attendevaci Mario Minniti. Fue così che, seguendo una rotta non battuta da lo naviglio maltese, giugnemmo finalmente in Girgenti...

II

Girgenti e Licata

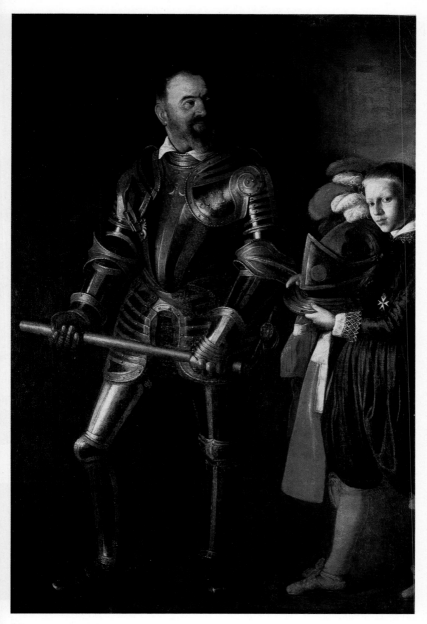

[1] *Ritratto di Alof de Wignacourt.*
... anco io, nel dipigner quella dipintura, niente avea provato tranne che una picciola satisfazione per il gioco tra lo lucor de la corazza e l'ombra retrostante...

[2] *Cena in Emmaus.*
«*... anche io ho sentito questa storia degli errori nella Cena. La mano destra di Pietro che essendo più arretrata dovrebbe essere più piccola di quella di Cristo... Certo, per un geometra sono errori pacchiani. Ma a nessuno viene il dubbio che siano errori voluti?*»

[3] *San Gerolamo.*
... chiesemi perché attorno a lui e puranco di retro a lui ogni cosa giacesse o incognita nella fitta oscurità o solamente di poco visibile per troppa ombra. Io li resposi esser lui il solo che alla mia vista rilucesse e che, lui a parte, altro non riesciva a
vedere che il nero della notte.

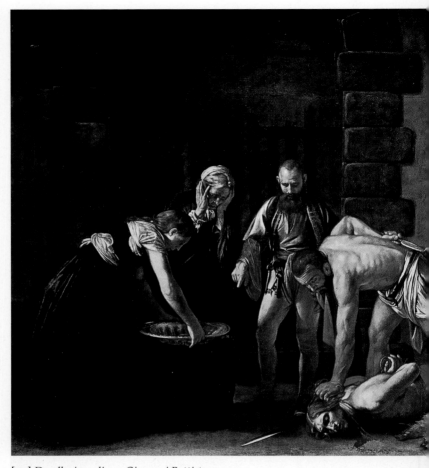

[4A] *Decollazione di san Giovanni Battista.*
In quel mentre fra' Raffaele... fece uno balzo indietro et assai pallido in volto domandommi se era pur vero quello che gli era parso di vedere e cioè che io aveva messo la firma mia a la pittura acciò adoperando lo sangue fuoriescito da lo Battista. Elli è stato l'unico a notar ciò. Dissegli aver veduto giusto.

[4B] Il dettaglio della firma di Caravaggio.

[5] *Amore vittorioso.*
... Un d'essi, a nome Aloysio, di soavi modi e di bellissimo aspetto, solea di frequente venire ne la cella mia. Assai costui simigliava a lo giovinetto che a modello ebbi per lo mio dipinto che fue detto dell'Amor vincitore.

[6] *Madonna dei Pellegrini o Madonna di Loreto.*
... corse maligna voce essere lo volto de la Madonna di Loreto da me dipinta quello di una puttana, cioè di Lena. Lo volto è sì conforme a quello dolcissimo di Lena, ma ella non fue mai puttana, bensì femmina amorosa che io di molto amai...

[7] *Giuditta e Oloferne.*
... dettomi che li doi fiamminghi, Vinck e Finson, che tengono in Napoli bottega, hanno messo a vendere... un quadro mezzano da camera da mezze figure, et è un Oliferno con Giuditta che non dariano a manco di 300 ducati.

[8] *Madonna del Rosario.*

Per lo Rosario, che io principiai al breve tempo che parvemi di stare in bonaccia appresso aver patito di mare furioso in animo e corpo, e ben vedea li colori, assai devertimmi ragunar pezzenti e mendichi di vesti lacere e di fetente lordura e tali dipignerli in atto di scomposta preghiera infra a li frati domenicani...

[9] *Sepoltura di santa Lucia.*
... Ho deciso che la dipintura del Seppellimento avrà in prima li doi seppellitori che il die passato vidi a lo cemeterio mentre stavan iscavando una fossa... Io farò che lo corpo de la santa sia disteso longo la fossa appena principiata come se li seppellitori di lei pigliassero giusta misura...

[10] *Resurrezione di Lazzaro.*
... forse per Lazzaro la morte essere stata potea una liberazione da li mali di questa terra... quindi tornare a vivere per lui non era piacevol cosa.

[11] *Adorazione dei pastori.*
... ne li occhi di Maria tutta la malinconia e la pena di me medesmo che pigliami a sera isguardando lo mare da la finestra mea, sifattamente simile e a lo tempo istesso diversa da quando isguardavo da lo Forte
di Sant'Angelo calare lo sole ne lo mare...

[12] *Natività coi santi Francesco e Lorenzo.*
... gli domandai se poteva dirmi almeno chi era quel gentile signore. Rispose evasivamente.
In compenso mi disse, cosa che io non sapevo, che la Natività *palermitana del Caravaggio*
era stata trafugata nel 1969 e che era opinione degli inquirenti che il furto fosse stato com-
missionato dalla stessa persona alla quale io avevo tentato di telefonare.

Di una sia pur fuggevole, e non documentata, presenza di Caravaggio a Girgenti non è stata possibile finora ai ricercatori ritrovare traccia alcuna, malgrado sia radicata la convinzione tra gli agrigentini (una volta girgentani) che il pittore nella loro città abbia per qualche giorno sostato. Quello che ormai è dato per certo nelle più attente biografie è che il pittore, scomparso dal carcere del Forte di Sant'Angelo di Malta il 6 ottobre 1608, sia ricomparso a Siracusa una diecina di giorni dopo.

Secondo i girgentani, la visita sarebbe avvenuta durante il viaggio da Messina a Palermo, dove il pittore si sarebbe dovuto imbarcare per raggiungere, in qualche modo, Roma. Caravaggio avrebbe cioè fatto una notevole deviazione dal percorso più breve, comportamento che sarebbe più proprio di un turista che non di una persona braccata.

Le carte da me trascritte chiariscono in modo definitivo la vicenda. Confermano cioè la voce popolare circa la breve sosta girgentana, ma la situano addirittura prima dell'arrivo a Siracusa.

Tutto allora diventa più logico. Tra l'altro le due soste, quella girgentana e quella licatese, spiegano l'eccessivo intervallo temporale tra la fuga da Malta e l'arrivo a Siracusa.

Che Caravaggio sia passato da Girgenti o no è in fondo questione senza importanza, e io avrei omesso le pagine sulla sosta girgentana se non fosse per quelle poche righe che si riferiscono all'incontro notturno col Tempio della Concordia.

Di ben altro peso, per la novità delle notizie, sono invece le pagine dedicate da Caravaggio a una sua prima sosta a Licata, durata oltre un mese, durante il suo viaggio verso Malta.

Il quadro di cui Caravaggio parla, San Girolamo nella fossa dei leoni, è attualmente conservato, a Licata, nella chiesa della Confraternita di San Gerolamo della Misericordia, e viene genericamente attribuito alla "scuola del Caravaggio".

Ho trascritto, perché le ho trovate assai curiose, le pagine riguardanti l'incontro del pittore con Mario Tomasi, il capostipite della famiglia dell'autore del Gattopardo.

Nato a Capua nel 1558, Tomasi arriva in Sicilia al seguito del Viceré Marcantonio Colonna. Non si conoscono i suoi meriti di soldato, ma il Viceré lo nomina Capitano d'arme di Licata, che non è poi una carica di rilievo, gli permetterebbe infatti di vivere molto modestamente. Ma, non si sa come, Tomasi comincia ad arricchirsi (corrono voci molto malevole sul suo conto), tanto che nel 1583 è in grado di chiedere e ottenere la mano di Francesca Caro e Celestre, ereditiera ricchissima, Baronessa di Montechiaro e Signora di Lampedusa. Da quel momento in poi Tomasi entra nel cerchio chiuso e privilegiato della nobiltà siciliana e non ha più bisogno della modesta carica di Capitano d'arme.

Vorrei precisare che Lampedusa, isola arsa e rocciosa, un tempo rifugio di pirati e, secondo Ludovico Ariosto, luogo prescelto per la sfida dei tre contro tre (Orlando, Oliviero e Brandimarte contro Agramante, Gradasso e Sobrino), era, all'epoca di Caravaggio, sede di un eremo che indifferentemente accoglieva cristiani e musulmani. Da qui nacque il modo di dire "eremita di Lampedusa" per indicare chi usa stare con il piede in due staffe.

... Essendo io arrivato ignudo in su la speronara, da lo capitano fecimi dare uno qualche indumento onde ricoprirmi, ma li vestimenti che lo capitano diedemi erano tutti di troppo piccioli per me et a ogni movimento ch'io facea or la camicia spaccavasi a le ascelle or le brachette di tela laceravansi ne lo de retro...

... che era una bellissima notte con gran luce di luna. La speronara diressesi non ver lo loco de la rada dove di solito approdava lo regolar naviglio per li commerci e che protetto era da ben munita torre, ma mise la prora a una scogliera bianca che ergevasi simil a un picciolo monte e che nomavasi scala de li turchi. A lo riparo di quel monte, la speronara non era visibil da la torre. Di subito che la speronara diede d'ancora, appressaronsi tre barche per caricar la seta et in una prendemmo posto Minniti, Minicuzzo et io. Appena a terra, Minicuzzo salutommi e andossene a trovare uno suo parente che stavasi in quei pressi. Minniti et io prendemmo la via per Girgenti...

... fue dopo doi hore di camino che ancor era notte. Per la fatica che io facea a muovermi con quelli abiti et avendomi levato anco i calzari che stavanmi stretti e li piedi dolere mi faceano, a testa bassa caminava per vedere d'iscansare pietre e spine. Alzata la testa per dimandare a Minniti, che avanti a me andava, quanto ancora per la città mancasse, a uno tratto vidi alta e di sopra a me una costruzione che parvemi assai mirabile. Domandai a Minniti se elli sapea cosa fosse. Elli dissemi essere lo tempio greco detto de la concordia.

A la luce de la luna, pareami esser fatto di polvere d'ossa sanza peso. Mi misi a correre su per la collina, mentre Minniti in vano chiamavami. Doi volte caddi ma non mi presi cura di una ferita che in su la fronte m'ero fatta e d'altra a lo ginocchio che assai doler mi facea. Davanti a lo tempio mi fermai e nel mentre che lo contemplava sentia tornarmi in petto tutto lo fiato che prima erami mancato et in una con l'aere dentro m'entrava un sottil linimento a le piaghe de l'anima mia...

... Minniti raggiunsemi che stavamene disteso immoto a isguardare lo cielo e le stelle attraverso de le colonne. Disseli che mancavami la forza e la voglia di caminare ancora. Elli allora resposemi che era meglio se io ristava ascoso ne lo tempio poiché li vestimenti che avevo e la ferita in su la fronte di me non faceano bella vista a la luce de lo jorno. Proposemi di andar lui solo in Girgenti e da l'amico che hospitato ci averia farsi dare per me panni più acconci e tornare a prendermi ne la matina istessa. Ristato solo, ogni tanto una mano allungava a carezzar la colonna a me più prossima e, a malgrado che fusse ancor notte, io sentia ne la mia mano come uno calore antico giugnere da l'arenaria, e lo medesimo calore sentia ne la schiena che a terra poggiava e sì stando manco m'accorsi di cadere in uno sonno profondissimo...

... Svegliommi Minniti che lo sole era di assai già alto. E grande fue la maraviglia mia e la gioia nel riveder finalmente lo sole con lo giusto colore suo. Rivestitomi de' nuovi panni, montai ne la carrozza che elli erasi fatta dare. E fue buona cosa perché lo ginocchio di molto gonfio e dolorante passo alcuno non permetteami...

... ne lo palazzo de lo protonotaro Fiandaca dove restammo doi giorni. Minniti non avea ditto a lo protonotaro de la mia sventura a Malta e quindi quelli accolsemi con la molta onoranza

70

spettante a uno Cavaliero e dimandommi notizia de lo naufragio. La dimanda meravigliommi perché di tal naufragio nulla sapea. Minniti, che erasi quella istoria inventata allora che li avea dimandato li vestimenti che m'erano di necessità, disse a lo protonotaro che lo spavento de lo mare in tempesta e lo dolore per aver tutto perduto, anco li abiti, ancor faceanmi la lingua muta...

... montammo nottetempo ne la carrozza che Mario Tomasi aveami da Licata mandata. Io Tomasi conosciuto l'avea l'anno avante allorché la galera, che da Napoli portar mi dovea a Malta, fermossi, come già io sapea, per uno mese a Licata. A lui presentatomi con una lettera de lo principe Fabrizio Colonna, venni da Tomasi benevolmente accolto. Elli da Capua erasi venuto in Sicilia alli ordini de lo Viceré Marcantonio Colonna et era stato da lo Viceré nomato Capitano d'arme di Licata. Fatta molta fortuna, avea sposato una ricchissima donna, Francesca. Elli non potette hospitarmi in quanto lo suo novo palazzo non era ancor pronto e mandommi per breve tempo ne lo convento de li padri carmelitani e poscia da li signori Trigona. Quivi un pittore licatese, de lo quale ho lo nome scordato, stava dipignendo per li signori uno San Girolamo ne la fossa de' leoni che di alquanta scarsa fattura pareami... Uno jorno tale pittore, posati a un tratto li pennelli, con forza dissemi che non volea più dipignere ne lo mentre che io lo isguardava a meno che secolui a dipigner non mi ponessi. Et io di buon grado il feci...

... Arrivato novamente in Licata, fui questa volta hospitato ne lo novo palazzo di Tomasi...

... Lo jorno appresso Minniti partissene per Siracusa al fine di meglio preparare lo mio arrivo...

... Tomasi proposemi di ritrattar li suoi doi figli gemelli di anni 13 sotto forma di angioli musicanti con assai lauta ricompensa et io stavami da qualche jorno a pensare a tale dipintura allora che Tomasi, ne la mia camera entrato, dissemi che di subito secomé parlar volea in tutta segretezza...

... che avea saputo de la mia fuga da Malta e che io non ero Cavaliero come tutti credeano e che anzi li Cavalieri di Malta volean su me aspra vendetta esercitare...

... Dissemi ancora che hospitarmi più non potea sanza grave suo periglio. Allora io, sdegnato de la sua viltate, assai malamente resposegli non esser vero che io Cavaliero non era e a riprova a lui mostrai la croce che in sul petto tenea. Elli ridendo spregevolmente dissemi che forse quella croce rubata avea a Malta a qualche vero Cavaliero. Sicché io, da lo furore accecato, il viso li percossi con un pugno che a terra il fece cadere con alte strida. Accorsa donna Francesca, fui da tre servidori atterrato, legato e portato in uno scuro sotterraneo...

... sanza cibo, solo un poco d'acqua. La notte istessa li tre servidori novamente legaronmi e così dentro a una carrozza postomi assai fora Licata portaronmi...

... mentre che a la prima luce de l'alba a stento caminava con le braccia de retro a la schiena legate, passò uno frate che di me ebbe pietate. Scioltomi, rifocillommi con uno pezzo di pane e uno sorso di vino. Io dissigli chi era ma elli nulla di me sapea. Offrissi però di trovare per me uno cavallo et andossene. Tornato lo frate con uno cavallo, che io gli pagai immantinenti, appresso alcune hore arrivai a una citate nomata Gela dove, venduto il cavallo, una carrozza trovai che portarmi potea a Siracusa...

III
Siracusa

Queste altre pagine raccontano come a Caravaggio venne commissionato il Seppellimento di santa Lucia, *protettrice della città di Siracusa, per la chiesa omonima.*

Devo però premettere che qui la scelta delle pagine da trascrivere è stata più sofferta.

Da un lato, infatti, il manoscritto lungamente si diffonde sulla commissione dell'opera, sulle varie difficoltà tecniche incontrate, sull'accoglienza che il Seppellimento *ricevette. E questo credo sarebbe stato un contributo prezioso per gli studiosi.*

Dall'altro però il manoscritto rivela, in pagine certamente più intime e tormentate, come il pittore, già affetto da qualche turba, prendendo ora piena coscienza della sua infelice condizione di uomo condannato a una fuga continua, cada progressivamente in una sorta di nevrosi che l'allontana dalla realtà, o almeno dalla possibilità di controllo della realtà.

Queste pagine m'hanno perciò assai impressionato e ad esse ho voluto dare – arbitrariamente, ne convengo – maggior spazio.

... Dipoiché ancora non era sparsasi la voce de la mia caduta in disgrazia a Malta, essendo quindi io a tutto effetto sempre uno Cavaliero dell'Ordine e in quanto tale mondato da la colpa d'omicidio, Minniti servissi de le sue arti di loquela per convincere lo Senato de la città e lo vescovo Orosco a darmi una committenza. Lo vescovo Orosco ordinommi quindi un Seppellimento di santa Lucia per la chiesa dedicata a la santa che sorgeva in località porto piccolo. Averia trovato anco alloggio ne lo convento vicino, poco abitato ché lo stean rifacendo dopo averlo per lunga pezza abbandonato...

... La probabile, anzi certa, privazione de l'abito mi renderà novamente a la persecuzione papale fatta vieppiù dura a causa de la sicura espulsione da l'Ordine e de la mia fuga. Qualche jorno arretro Minniti è stato avvicinato da uno messo de lo Priorato lo quale con ampi giri di parole dissegli che se ritornavo a Malta riconsegnandomi a la Giustizia de lo Gran Maestro la condanna saria stata meno ignominiosa. Non mi fido, non voglio tornare a Malta, essi han pigliato la mia fuga come uno affronto supremo a la loro autorità. Mi son perciò ridotto a sortir da lo convento solo per andare a la chiesa di Santa Lucia...

... Dopo notti e notti che non potea chiuder occhio con lo pensiero sempre rivolto a qual destino m'arebbe risoluto la condanna emanata da Malta e dove averia potuto trovar scampo per sfuggire tanto a le guardie de lo Papa quanto a la certamente feroce vendetta de li Cavalieri, capitommi un fatto. Caduta notte, istava per corcarmi quando udii uno tal ringhio provenir da la finestra, ch'è bassa trovandosi la mia cella a lo piano terra. A lo lume de la candela vidi balzar dentro uno cane nero in fra i più grossi che avia mai veduto, irto lo pellame, rossi li occhi che parean bragia, li denti a minaccia scoperti, una bava bianca colarli da la bocca. Raccoltosi, preparossi su di me a balzare. Afferrato lo pugnale che stava sopra lo tavolo, appena lo cane saltò ver me puntando le zanne a la gola, io prestamente scivolai a l'indietro e mentre elli passavami di sopra li infilai l'azzàro ne la pancia ampiamente squartandolo. Risentii da la mano (*illeggibile, forse "propagarsi"*) in tutto lo mio essere quel languor de' sensi che provasi dopo aver con femmina pratticato, l'istesso di quando avea con lo stocco messo a morte Ranuccio. L'animale, che era rimasto come infilzato in aere mentre lo sangue suo sì caldo che parea bollente bagnavami lo volto e lo petto, dopo crollommi addosso morente. Da me scansatolo, subitamente caddi in un sonno affannoso che durò tutta notte. Svegliatomi che lo sole era già alto, con molto spavento scopersi che la carcassa de lo cane era scomparsa e che non eravi traccia alcuna di sangue né per terra né su lo mio volto e su lo petto. Adunque m'ero tutto insognato? Allora perché a lo resveglio ancor tenea lo pugnale ne la mano?...

... Ho deciso che la dipintura del Seppellimento avrà in prima li doi seppellitori che il die passato vidi a lo cemeterio mentre stavan iscavando una fossa. Uno d'essi, veggendo come io isguardava attento lo lavoro suo, meco motteggiò se sariami piaciuto giacere in una fossa da loro approntata. Io resposi che una fossa valeva l'altra ma lui dissemi ciò non esser vero perché ogni morto dee avere una fossa acconcia. Io farò che lo corpo de la santa sia disteso longo la fossa appena principiata come se li seppellitori di lei pigliassero giusta misura...

... Hieri dopo doi jorni e doi notti di pioggia passando per lo chiostro de lo convento per caso ebbi a rimirar una testa d'homo che parea decollata dentro a una pozza d'acqua. Irsuta, di sotto a li baffi scomposti tenea la bocca aperta come per grave dolore e vedevansi li denti guasti e gialli. A un movimento che feci anco la testa ne la pozza si mosse et allora capii essere io. Non eromi riconosciuto...

... Questa vanella assai stretta, che puote passarci un sol homo a la volta e da nisciuno percorsa, io spesso la facea sia per andare sia per tornare da la chiesa. Ierlaltro, ch'era lo tramonto, ero in detta vanella che tornavamene a lo convento quando da uno portone diroccato uscissene uno angiolo che stando con l'ali spiegate impedivami lo passo. La visione parvemi di buon segno, tanto più che l'angiolo sorrisemi e, chiuse le ali, misesi contro a lo muro come per darmi passo. Il riconobbi avanzando. Elli era l'istesso angiolo giovinetto che dipinto avea allato a san Matteo. Appena fue a paro elli fece un gesto che immantinenti privommi di tutti li abiti, e con la punta del dito toccommi la grave ferita che ricevuta anni prima avea in Campo Marzio dal fratello di Ranuccio Tomassoni mentre tentavo di sottrarre in vano a la sua furia l'amico mio Antonio da Bologna. Appena toccommi, la ferita riapersesi e novello sangue ne sgorgò mentre io cadeva a terra e per l'insostenibile dolore venivo privato de' sensi. Mi risvegliai che Minniti, venuto in mia cerca, amorevolmente soccorrevami e chiedeami chi m'avea spogliato de' panni. Io dissi essere stati doi tagliaborse, tanto più che la ferita non parea novellamente aperta. Non ho tutta notte dormito per grandissimo malo di testa...

... Stamane recatomi in chiesa per continuare lo Seppellimento ho veduto con grande stupore e sgomento che la cotta del giovin diacono che vedesi arretro ma al centro tra li doi seppellitori e stassene ritto allato a lo corpo de la santa e che io aveva da tempo dipinta color bianco è nottetempo diventata rossa. Vanamente per tutto lo mattino ho cercato di far ritornar bianca la cotta, ma appena passato lo colore cangiava e tornava a esser rosso. Alla fine, arresomi, ho dovuto pareggiar a quel rosso tutti li altri colori...

... che avevo appena finito lo Seppellimento presentossi a me di molto sconsolato e afflitto Minniti lo quale dissemi aver saputo essere stata proclamata la pubblica condanna da Malta. E che la voce de ditta condanna di certo saria giunta in Sicilia... Essa mi priva de l'abito e mi dichiara membrum putridum et foetidum. Minniti dissemi anco che un amico suo de lo Senato de la città consigliavami di abbandonar Siracusa per Messina la quale essendo città più grande e popolosa meno facilmente averia potuto esser notato, riconosciuto et arrestato. Inoltre Messina è ricca assai per commerci di seta...

... che un tal mercante genovese nomato Lazzari offerivami 1000 scudi per una dipintura destinata a l'altar maggiore della Chiesa dei Padri Crociferi in Messina. Aggiunse Minniti che averia potuto lavorare in tranquillità perché lo potente Ordine de li Crociferi mi arebbe tenuto ne lo miglior salone de lo loro hospitale a lo riparo de lo Papa e de li Cavalieri di Malta...

... domani, terzo die de lo primo mese de l'anno 1609, parto per Messina...

... Minniti hodie avvertimmi che in Messina erasi insorta qualche difficoltà per lo mio intrattenimento colà e che perciò erasi convenuto con Lazzari che io saria dovuto fermarmi a Naxos ove un messo m'averia raggiunto...

IV
Verso Messina

Ho voluto riportare le pagine che si riferiscono all'imprevista sosta a Naxos non solo perché si tratta di un episodio credo completamente sconosciuto, ma soprattutto perché queste righe sono rivelatrici delle ormai disastrose condizioni mentali del pittore.

Giunto al limite della resistenza psichica, Caravaggio non riesce più a far fronte agli imprevisti, è in balia di una furia irrazionale e cieca che ne condiziona le reazioni.

Lo spettro della condanna a morte papale, che per un certo periodo aveva pensato di poter evitare diventando Cavaliere di Malta, ora torna a concretizzarsi più di prima.

Ma c'è anche, molto evidente, la paura esplicita per la "vendetta" dell'Ordine beffato. Vendetta che non può che tradursi in un'altra condanna a morte, non ufficialmente emessa, certo, ma forse ancor più terrificante appunto perché affidata al pugnale di qualche sicario che può eseguirla in ogni momento e nel luogo più insospettato.

... partito con animo di assai scosso, turbato da la complicanza insorta a Messina che io non sapea quale e che nulla sicurtà dava a lo mio tempo a venire...

... a Naxos, come per intesa fatta tra Minniti e Lazzari, mi fermai e mi recai ne la casa de lo jureconsulto Martino lo quale assai hospitalmente accolsemi. Lo messo di Lazzari, che secomé trattar doveria pria che io in Messina giugnessi, di molto assai si tardò e giugnette a Naxos che notte fatta già era.

Elli, che era homo prestante e di fine aspetto, iscusossi con Martino e meco di non potere lo nome suo rivelare. Dissemi esser giunta voce anco a Messina de la condanna de l'Ordine de' Cavalieri. Fue a sol queste parole sentire che io subitamente vidi li jorni miei a venire incarzarati o per mano del boja troncati e ne ebbi siffatta disperazione che mutossi in rabbia inverso me medesmo, onde a gridar postomi e tirato fora lo pugnale volea con esso la gola squarciarmi. Ma lo prestante messo balzommi addosso la mano armata fermando mentre che Martino da retro afferratomi stretto a sé mi tenea. Fue necessario che doi servi ancora accorressero per levar da la mano mia lo pugnale...

... alquanto calmatomi, lo messo rampognommi a longo per la mia irruenza e poscia dissemi che lo Priorato de' Cavalieri di Messina arebbe avuto un consulto con l'Ordine de' Crociferi onde trovare lo modo che io in Messina lavorare potessi sanza periglio di essere arrestato. Era perciò necessario che io a Siracusa me ne tornassi per istarvi ancora doi o tre die in attesa de l'accordo che elli stesso m'averia fatto cognoscere. Ma io appena sentito che nuovamente tornare indietro dovea diedi in ismanie e come perso lo senno sentii me stesso medesmo profferir parole ch'io profferir non volea e con terribil voce gridare a lo tradimento e che lo messo erasi un Cavaliero di Malta che nomavasi Saint-Jacques venuto per ammazzarmi. E pigliato uno candeliere, ché lo pugnale più non avea, di darli foco tentai. Finalmente resomi a la ragione, lo jureconsulto Martino proposemi di non tornare in Siracusa ma di restar in sua casa per tutto lo tempo che occorreva...

... essendosene lo messo ripartito, lo jureconsulto Martino diè ordine a uno servo di preparare per me una camera che mostrommi e che era ispaziosa assai e che avea una grande finestra che apriva a la vista de lo mare. Ne lo mentre de la cena che io non potei nemmeno toccare per lo stringimento che sentia de le budella capitò che la testa de lo jureconsulto parvemi spostata alquanto da lo collo quasi che, tagliata di netto, fosse stata di nuovo ma malamente appoggiata a lo posto suo. Assai ciò meravigliommi e pria che alcuna cosa dire potessi, la testa, del tutto ispiccatasi da lo collo, sanza che goccia alcuna di sangue ne cadea, restossenne in aere sospesa. Indi pigliò a muoversi verso uno piatto sopra lo quale c'era uno melone giallo che qua chiamano d'inverno. Quando la testa arrivò di presso a lo melone, questo mossesi e andossi a metter al posto de la testa, nel mentre che la testa poggiavasi in sul piatto a lo posto de lo melone. Tal vista mossemi a riso che più forte divenne allorché lo melone domandommi per qual lieto pensiero ridea...

... Salutato lo jureconsulto, pigliai uno candeliere e ne la mia camera mi portai. Apertane la porta e fatti doi passi dentro, in pria credetti avere sbagliato perché non vidi né letto né camino con foco. Subitamente voltatomi per uscirne, con molto stupore accorsemi che non eravi più la porta da la quale entrato io era, a lo posto suo hora istava un muro di ferro rugginoso e da lo quale pendeano alcuni pezzi di drappi bianchi ma tutti di sangue lordi. Io diedemi a percorrerlo passo passo ma niuna apertura era in esso che permetteami di tornar fora. Allora voltatomi vidi che trovavami in una grotta di ghiaccio nero puntuta di lance rosse che da l'alto calavano, di molto fredda e sì vasta che io non ne vedea la fine, però di assai più in là palpitava il lucore di uno foco che parvemi di bivacco. Mossomi a quello foco che uno qualche calore darmi averia potuto, dopo appena tre passi una ventata ghiazza spegnette lo candeliere et io caddi ne lo più profondo scuro essendo anco sparito lo lucor de lo bivacco. Poscia uno giramento di testa su me medesmo ruotare fecemi onde non seppi più capire lo verso de l'andare avanti o quello de lo tornare indietro. A longo fermo stetti, fino a che lo freddo fecesi mortale e io caminar dovetti. Caminai e caminai, allorché li piedi miei cominciorno a iscivolare sopra a una coltre che pareami di ranno che però non morta cosa era ma vivente e mossa. Chinatomi, la mano mia incontrò un brulicare viscido di serpi che di subito sentii cominciare a strisciarmi su per lo corpo. In vano gridai e fortemente scossemi, poscia gridar più non potei perché le serpi entravanmi ne la bocca, infine a centinara fueronmi di sopra e lo peso loro cader mi fece in uno mare d'altre serpi che a lento tutto coprimmi fino a che in esso sentii annegarmi sanza più fiato, sanza più vita...

... con molta febbre me ne stetti. A che lo quarto die che stavami a Naxos, tornò lo messo. Elli dissemi che lo patto fatto infra lo Priorato di Messina de' Cavalieri di Malta e l'Ordine de li Crociferi consisteva che lo Priorato, che avea saputo de la mea condanna solo per vox populi, averia mandato a Malta ai primi die di febraro onde sapere se la voce a verità corrispondea e che la risposta da Malta non saria arrivata a Messina pria de la fine de lo mese di marzo o di aprile. Non avendo io capito bene, elli spiegommi che quanto convenuto m'averia consentito di starmene almeno mesi tre a Messina sanza timore veruno e di poter perciò in tranquillitate dipignere la Madonna con san Giovanni che Lazzari volea. In quanto a lo dopo dissemi che lo Senato e l'Ordine de li Crociferi averian cercato uno qualche modo, ma che lo migliore era ancora da stabilire essendo di assai difficile...

... dipoiché la partenza erasi stabilita poscia calata la sera, per far passare le hore de quello jorno longamente caminai su la spiaggia diserta fino a che, stancatomi, distesimi. La luce de lo sole, ancorché nero, assai feriami la vista onde con li occhi chiusi stare dovia. A uno tratto, da l'ombra che repente sentii lo volto coprirmi, capii esserci qualcuno ritto a me allato. A lento apersi appena uno occhio, bastevole a farmi iscorgere uno homo, di assai minaccioso aspetto che attorno isguardava se alcuno venia, la mano stretta a lo pugnale. Di subito pensai a uno sicario de li Cavalieri et allora repentinamente in piedi balzato, pria che alcunché facesse, diedeli uno calcio ne lo ventre sì forte che la punta de lo mio piede in lui affondossi quasi lama. Mentre quello in ginocchio cadea, a correre più che potea mi misi...

V
Messina

... a lo primo incontro con Lazzari, nel mentre che elli dicea voler una dipintura di assai luce e colore, presemi cotal tremore a le mani che per non farlo a lui iscorgere me 'l misi incrociate dietro, con l'una tenendo fermo lo polso de l'altra. Allora fue la gamba mancina che comenzommi a tremare...

... e fora del Senato era sì forte la luce nera che, quasi cieco divenuto, mosso qualche passo a l'oscuro non vidi lo primo gradino e giuso rotolai per lo scalone...

... Ho convinto Lazzari a cangiar proposito facendo forza sopra lo suo orgoglio. Dissegli che forse una dipintura di Lazzaro averia a tutti tenuta memoria de lo nome suo.

Elli a longo restossene sanza pigliar partito, poscia dissesi d'accordo. Sicché hora io posso metter mano a una Resurrezione di Lazzaro che paremi di assai più acconcia a questo tempo de la vita mea, al mio sentirmi...

... Stando ne lo migliore salone de l'Hospitale de l'Ordine de' Crociferi, capitommi alquante volte di vedere uno morto esser da doi facchini portato a lo seppellimento.

Secoloro accordatomi, appena che ne fue occasione li facchini uno morto portaronmi in salone e tutta la notte lo ressero come io volli nel mentre che lo dipignea.

Non è cosa vera quel che si disse e cioè l'averne fatto disseppellire uno che da molti jorni sotterra si giacea e tanto fetea che li becchini che dovean tenerlo non resistevano a lo fetore e volean abandonare l'atto...

... Corse voce che li maggiori de l'Ordine e de lo Senato a la vista de lo dipinto di assai scontenti si mostrassero talché io, messa mano a lo pugnale, lacerato l'avessi in più punti. Lazzari dissemi che a lui assaissimo erali piaciuta la dipintura ma che paregli quello Lazzaro malvolentieri acconciarsi alla resurrezione et alla novella vita che l'attendea. Domandatamene la cagione, resposegli che forse per Lazzaro la morte essere stata potea una liberazione da li mali di questa terra. E che quindi tornare a vivere per lui non era piacevol cosa.

Lo Priore de' Cavalieri, in disparte trattomi, domandommi invece se io credea a li miracoli. Io resposi che credevo. Allora elli domandommi ancora perché me stesso avea ritratto nella dipintura non solo in atto di non esser commosso da lo miracolo, ma addirittura con l'occhi altrove. Io disseli allora che già isguardava a la mia seconda o terza resurrezione che più non sapea quante occorse ne sarebbono...

... Lazzari dettomi che io firmar dovea l'atto di consegna de la Resurrezione di Lazzaro come fr. Michelangeli Caravagio militis gerosolimitani in quanto che, non essendo ancora pervenuta la risposta da Malta, tale io era. Et inoltre così firmando io iscagionava lo Priorato e lui medesmo da ogni responsabilità...

... pagatomi 1000 scudi...

... venuto a trovarmi Minniti. Io allora disseli de lo bisogno meo et elli uscissene e tornossene dopo hore tre e dissemi avere accomodato per la notte istessa. Venuta l'hora accompagnommi ne la casa di tale Zina e andossene. Zina erasi bella, giovine e di assai cura nel personale. Bevuto e mangiato che ebbimo, in sopra il letto ci stendemmo ignudi. Ma fue allora che tutto l'ardore, tutto lo desiro che fino a lo momento sentito avea disparvero.

E per quanto Zina prodiga fosse per hore per isvegliare lo senso scomparso, a nulla poté. In su l'alba colsemi furor tale e pena de lo stato meo che con lo pugnale le vesti mie lacerai che eran di presso al letto indi diedemi un colpo su la carne ch'erami morta ma tanto tremavami la mano che mi pigliai invece la coscia. Assai sanguinai.

Venuto lo matino e da quella casa sortito quasi strascicandomi, uno homo a cavallo di sopra vennemi improviso et io caddi e di striscio fue colpito da uno zoccolo proprio dove doleami la ferita mentre che l'homo che venivasi di corsa se ne iva sanza manco soccorrermi e gridavami da lontano essere io uno mentecatto...

... e lo jorno appresso caminar non potei e lo jorno che venne ancora...

... per 1000 scudi una Adorazione de' pastori per li Cappuccini ne la Chiesa di Santa Maria de li Angeli fora le mura.

Li Cappuccini mi arebbono tenuto ne lo convento loro che è di molto solitario in una grande cella che guarda lo mare.

Lazzari aveami anco consigliato di non istare troppo a caminare per la città in quanto avea saputo che cominciavasi a spargere la voce de la mia condanna ancorché nessuna risposta erasi ancora arrivata...

... stanche le membra e vieppiù stanco l'animo...

... ne li occhi di Maria tutta la malinconia e la pena di me medesmo che pigliami a sera isguardando lo mare da la finestra mea, sifattamente simile et a lo tempo istesso diversa da quando isguardavo da lo Forte di Sant'Angelo calare lo sole ne lo mare...

... hodie Lazzari dettomi che la risposta di condanna da Malta è arrivata e che sarebbe perciò assai prudente cosa che io Messina immantinenti lassassi...

... A che fuggir ti vale
se l'inimigo incocca
per te lesto uno strale

dall'alto de la rocca
dov'è regno papale?
Ahi lasso! Ma qual bocca

diratti la parola
che muta in ben lo male?
Quell'unica, la sola...

... caminato a longo ne lo scuro più fitto anco se ancor jorno era.

Fino a che giunto in sopra lo far de la sera in uno loco selvaggio et aspro che ne lo mare quasi strapiombavasi, io, toltomi le vesti tutte, volli alfine fare lo proposito meo.

Allargate le braccia come per ispiccar lo volo, li occhi bene aperti, di sotto lassaimi andare. Ma forse staccarmi bene da lo ciglio non seppi, sicché invece di cadere ne lo vuoto, come io m'attendea, a longo sdrucciolai sopra lo costone che portossi via la pelle mea fino a che una grossa saggina non arrestò la caduta. Non ebbi più cuore di ritentare lo salto, l'ardire mancommi, anzi impaurito alquanto principiai con assai fatica a risalire.

Ma arrivato a un braccio da lo ciglio li piedi miei non trovaron più presa e così restai afferrato con le sole mani a' sassi che sporgeansi. Disperato, sicuro de la morte che hora orror mi facea, a gridare posimi.

Quando più forze non avea, apparvemi un volto che sembrommi d'angelo. Era uno stupito giovin pastore che immantinenti misesi all'opra. Stesosi a terra e protese le braccia saldamente afferrommi et io allora, fattomi più sicuro, potei ritrovar la presa per li piedi.

In salvo messomi, stettimi alquanto col respiro grosso in terra stremato. Ma a poco a poco comenzai a sentir con maraviglia ritornare quello vigore d'homo che per sempre perduto pensavo. Sicché a quella vista misesi a ridere lo giovin pastore che assai perciò piacquemi e dissemi sì sì quando io li domandai di stendersi a me allato...

... fino a quando durerà questa vita mea raminga che non pace non requie trova?...

... domani parto per Palermo.

Lazzari dissemi essersi inteso co' frati francescani di colà che averiami assicurato non solo lavoro ma pur anco la protezione da le guardie de lo papa e da li Cavalieri di Malta che amendue voglion la morte mea...

VI
Palermo

Il lettore certamente noterà che del soggiorno paler-
mitano del pittore ho trascritto solo poche righe.

In realtà le pagine non erano molte. Indubbiamente
l'incontro con il misterioso fra' Giuseppe, superiore
del convento dei francescani, è per Caravaggio assai
benefico. Il frate, con le sue nenie e con la sua presenza, riesce in qualche modo ad aprire una tale parente-
si di inattesa serenità che Caravaggio può scrivere di
star vivendo una "sì breve e calma hestate!".

Parole che, nelle sue condizioni, risultano perlome-
no sorprendenti.

Ma, arrivati alla fine, c'è da porsi qualche domanda.
Come mai questo brogliaccio è rimasto nelle mani
di Minniti? Perché Caravaggio non lo portò con sé
imbarcandosi?

Una delle risposte possibili è che il pittore, sapendo
d'intraprendere un viaggio dagli esiti incerti, abbia
voluto provvisoriamente lasciare quel documento nelle mani fidate dell'amico per farselo inviare in un se-

*condo tempo. Infatti non si ha nessuna testimonianza
che Minniti si sia imbarcato con lui.*

*E Caravaggio non ha neppure bisogno, durante il
soggiorno napoletano, di richiedere quelle carte perché
le cose per lui sembrano mettersi bene grazie alla me-
diazione in suo favore che Scipione Borghese sta con-
ducendo col nuovo papa di cui, tra l'altro, è il nipote.*

L'ultima illusione, insomma.

... Per tutto lo tempo de lo viaggio che fue sempre con a lo fianco lo mare, che fusse jorno io mai no'l seppi. Mai la luce ne vidi, una caligine or più densa or meno la vista copriami et io non vedea più li colori com'erano, ma di essi mi rammemoravo come erano stati...

... per la quarta notte sempre l'istesso sogno de li doi cani che azzannar voglionmi et io che corro in sopra a' sassi sempre più prossimo sentendo lo ringhio loro...

... Come che fue arrivato ne lo convento de li francescani, assai faticato da lo viaggio, lo Superiore, che erasi homo ischeletrito ma di forte ingegno, dissemi immantinenti che li frati voluto averian che io dipignessi una Natività per l'Oratorio di San Lorenzo e che mi averiano dato scudi 800. Dissemi anco che di me elli tutto sapea e che lo convento era sicuro e che io po-

tea principiare l'opra quando meglio m'aggradiva...

... la notte tutta in smanie e grida fino a che lo
Superiore, che ne la cella allato stavasi, non venne
ne la mea.

Niuna domanda fecemi, ma posesi a lo lato
de lo letto et una mano mea infra le sue pi-
gliommi. Indi misesi a dire con voce assai bassa
una cantilena che le parole non capii perché
parvemi d'arabica lingua. Ma a lento nel sonno
ricadei e fino a che fue jorno fatto dormii como
uno bambinello...

... contato a lo Superiore che nomasi fra' Giuseppe la damnatio mea de lo sole nero. Elli non
parve stupirsene né disse ciò esser opra de lo dimonio. Ma venuta l'hora de notte accompagnommi ne la cella et appena steso mi fue elli ordinommi di tener li occhi miei ne li suoi fisamente e
sanza le ciglia battere lo più a longo possibile. Tal
stetti infino a che da li occhi miei alquante lacrime
cominciaron a colare. Elli allora dissemi di chiudere li occhi e la sua mano che parvemi bollore
posela sopra li occhi miei intanto che altra cantilena arabica da le sue labbra uscia...

... da notti sei dormo sanza cani...

... fue al matino de lo settimo jorno che nel convento istavami che aperti l'occhi seppi scomparsa la caligine et alla finestra corso abbacinommi novamente lo sole come da gran tempo non più facea...

... ne la Natività ritrovato ho lo meo verde, lo meo bel rutilante verde...

... sì breve e calma hestate!
Minniti, venuto da Siracusa, dissemi aver saputo che doi messeri di Palermo avean da Malta ricevuto l'ordine di mettermi a morte non appena io dal convento uscito fossi. Anco dissemi che in Napoli la marchesa Colonna poteami hospitarmi ne lo palazzo Cellamare...

... tornati i cani de la notte...

... e lo sole nuovamente nero...

... domani notte imbarcherommi per Napoli da frate vestito per ingannar di poco la morte...

Per concludere

Ritornato dalla Sicilia, un seguito imprevisto di cir-
costanze fece sì che fossi costretto a mettere da parte
le carte caravaggesche. Solo nell'ottobre dello stesso
anno fui in grado di riprenderle in mano e di disporle
in ordine.

Infatti in quel pomeriggio trascorso nel casale vicino a Bronte la mia frenetica trascrizione era stata assai disordinata e molti passi che in un primo tempo
avevo tralasciato successivamente mi erano apparsi
di una qualche importanza, sicché ero stato costretto
a trascriverli usando i margini dei fogli già riempiti.

Ai primi di novembre, dopo avergli raccontato la
mia avventura siciliana, feci leggere le pagine a un
amico scultore. Egli ne rimase assai impressionato e
mi disse che avevo il dovere di portarle a pubblica conoscenza affidandole a un editore.

E qui nacque, come dire, un problema di coscienza.

Perché l'ignoto sedicente Carlo che mi aveva dato la
possibilità di leggere, e anche in parte di copiare, le
carte di Caravaggio, non mi aveva esplicitamente au-

torizzato alla loro pubblicazione. Anzi, da tutto quello che mi aveva detto risultava che la lettura del brogliaccio altro non era che un privato atto di riconoscenza nei miei riguardi. Potevo io tradire, stravolgendolo, il significato di quel gesto?

L'unica strada praticabile era quella di riuscire a rintracciare Carlo e domandargli una esplicita autorizzazione.

Cominciai subito a fare dei tentativi per riprendere contatto con lo sconosciuto proprietario delle carte caravaggesche.

Ero in possesso di un solo numero di telefono, quello scritto sul bigliettino che avevo trovato nella mia tasca. Lo feci, malgrado Carlo mi avesse formalmente diffidato di richiamare quel numero.

Provai per diversi giorni di seguito e le mie chiamate non ebbero mai risposta. Il telefono squillava sempre a vuoto. Rinunziai.

Circa una settimana dopo si presentò a casa mia, in borghese e senza preavviso, un maggiore dei Carabinieri. Almeno, così si qualificò. Era un quarantenne piuttosto elegante e affabile. Entrò subito in argomento: voleva sapere la ragione per la quale, da qualche giorno, m'ostinavo a chiamare quel numero di Siracusa. Non avevo nessuna intenzione di farmi coinvolgere in qualche storia equivoca, così gli dissi che quando ero andato a Siracusa per lo spettacolo ero stato borseggiato. E mentre raccontavo la mia disavventura al portiere dell'albergo, un gentile signore si era offerto di prestarmi del denaro. Avevo accettato e domandato l'indirizzo per rispedirgli la somma prestatami. Ma quel signore, che aveva detto di chiamarsi Carlo, mi aveva dato solo un numero di telefono. Ecco il perché della mia insistenza nel chiamare. Allora il maggiore mi domandò come mai avessi aspettato tanto a cercare di restituire il prestito. Risposi che solo casualmente, dopo averlo a lungo cercato, avevo ritrovato il biglietto sul quale era scritto il numero. E gli domandai se poteva dirmi almeno chi era quel gentile signore. Rispose in modo evasivo. In compenso mi disse, cosa che io non sapevo, che la Natività palermitana del Caravaggio era stata trafugata nel 1969 e che era opinione degli inquirenti che il furto fosse stato commissionato dalla stessa persona alla quale io avevo tentato di telefonare.

Verso la fine del gennaio 2005, un giornalista siciliano mi mandò copia del giornale per il quale mi aveva intervistato. Sfogliandolo, mi balzò agli occhi una fotografia. Era Carlo, lo riconobbi immediatamente. Una notizia breve diceva che, attraverso il DNA, era stato possibile identificare il cadavere dello sconosciuto trovato incaprettato e bruciato dentro a una macchina alla periferia di Catania due mesi prima.

Si trattava di un famoso avvocato notoriamente colluso con la mafia e da tempo latitante.

Solo allora mi resi conto che il misterioso Carlo,

mentre mi dava da leggere le pagine di Caravaggio braccato dalle guardie papali e dai sicari dei Cavalieri di Malta, stava vivendo egli stesso una situazione analoga, ricercato dalla polizia e dai sicari della mafia.

Allora mi sono deciso a pubblicare queste pagine.

Nota

All'incirca nel maggio del 2005, Kathrin Luz, curatrice del Düsseldorf Museum Kunst Palast, mi mandò una lettera invitandomi a scrivere un racconto su Caravaggio in occasione di una grande mostra che si sarebbe tenuta negli ultimi mesi del 2006 in quella città.

Non esitai a risponderle di sì. E scrissi questa storia incentrata sul periodo maltese-siciliano del pittore. Ma poiché mi erano state domandate solo quindici cartelle, il mio racconto tracimava. Perciò da esso trassi le quindici cartelle richieste (stampate nel volume antologico *Maler Mörder Mythos. Geschichten zu Caravaggio*, Hatje Cantz, Ostfildern 2006); quello che qui viene pubblicato costituisce, invece, il testo integrale.

a.c.

Referenze fotografiche

[1] *Ritratto di Alof de Wignacourt*. Parigi, Louvre. © 1990, Foto Scala, Firenze.

[2] *Cena in Emmaus*. Londra, National Gallery.

[3] *San Gerolamo*. Roma, Galleria Borghese. © Photoservice Electa/Quattrone, su concessione del Ministero per i Beni e le Attività Culturali.

[4A] *Decollazione di san Giovanni Battista*. La Valletta (Malta), Oratorio di San Giovanni Battista dei Cavalieri. © Photoservice Electa/ Quattrone.

[4B] Particolare della *Decollazione*: © Foto Scala, Firenze.

[5] *Amore vittorioso (Cupido)*. Berlino, Gemäldegalerie, Staatliche Museen zu Berlin. © 2005 Foto Scala, Firenze; Bildarchiv Preussicher Kulturbesitz, Berlin.

[6] *Madonna dei Pellegrini (Madonna di Loreto)*. Roma, Chiesa di Sant'Agostino. © Photoservice Electa/Quattrone.

[7] *Giuditta e Oloferne*. Roma, Galleria Nazionale d'Arte Antica, Palazzo Barberini. © Photoservice Electa/Quattrone.

[8] *Madonna del Rosario*. Vienna, Kunsthistorisches Museum. © Photoservice Electa.

[9] *Sepoltura di santa Lucia*. Siracusa, Chiesa di Santa Lucia del Sepolcro. © 1990, Foto Scala, Firenze.

[10] *Resurrezione di Lazzaro*. Messina, Museo Nazionale. © 1990, Foto Scala, Firenze, su concessione del Ministero per i Beni e le Attività Culturali.

[11] *Adorazione dei pastori*. Messina, Museo nazionale. © 1990, Foto Scala, Firenze, su concessione del Ministero per i Beni e le Attività Culturali.

[12] *Natività coi santi Francesco e Lorenzo*. Palermo, Oratorio di San Lorenzo. © 1990 Foto Scala, Firenze.

Indice

«Il colore del sole»
di Andrea Camilleri
Oscar bestsellers
Arnoldo Mondadori Editore

Questo volume è stato stampato
presso Mondadori Printing S.p.A.
Stabilimento NSM - Cles (TN)
Stampato in Italia. Printed in Italy

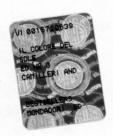